戦時

未来な

スラヴォイ・ジジェク Slavoj Žižek

富永晶子［訳］ Tominaga Akiko

NHK出版新書

720

First published as *Too Late To Awaken* in 2023 by Allen Lane,
an imprint of Penguin Press.
Penguin Press is part of the Penguin Random House group of companies.
Japanese translation published by arrangement with Penguin Books Ltd.
through The English Agency (Japan) Ltd.

戦時から目覚めよ——未来なき今、何をなすべきか　目次

校正　円水社
DTP　佐藤裕久

序　フュチュールとアヴニールのはざま

　強迫神経症的な傾向のある私は、常に目覚まし時計が鳴る数分前に目を覚ます。何時に目覚まし時計をセットしても、世界のどのタイムゾーンにいても、必ずそうなる。しかし、この奇妙な癖を、私が目を覚ます必要があることに気づいている証拠だと解釈するのは間違いだろう。むしろ、いきなり眠りから引きずりだされるのを避けるためにそうしているにちがいない。なぜか？

　かつて使徒パウロは自分の時代を、「あなたがたは、いまがどのような時であるかを知っています。あなたがたが眠りから覚めるべき時刻が、もう来ているのです」（ローマ人への手紙13章11節）と実に的確に描写したが、近年の歴史上の出来事は、これとは正反対の事実、つまり「目覚めるのに適した時などない」ことを示しているようだ。われわれは先走って取り乱し、実体のないパニックを煽《あお》るか、手遅れになってからハッと気づく。そして、まだ手を打つ時間は残っていると自らを慰《なぐさ》めるものの、突然、その時間がないことを悟るのだ。ここでも同じ疑問が湧く。なぜなのか?

誰かが夜遅くまで仕事をしていたり、遊んでいたりすると、われわれは「こんな時間に起きているなんて」と声をかけることが多い。しかし、人類の歴史的瞬間において、目を覚ましたときがすでに手遅れだとしたら? 人類の終末とされる深夜〇時まであと五分(あるいは、あと一分、あと十秒)しか残されていない、いまが破滅を免れる最後のチャンスだという表現をよく耳にするが、その破滅を防ぐ唯一の方法が、すでにそれが起こったと仮定することだとしたら? すでに決定的瞬間から五分過ぎているとしたら、どうだろう?

未来がない場合、この先には何が待ち受けているのか。フランス語(ほか複数の言語、たとえば私の母語であるスロヴェニア語)で、「未来」を意味する単語には、フュチュール(futur)とアヴニール(avenir)がある。英語にはその違いを明確に区別する言葉はない。フュチュールは現在の続きとしての未来、すでに定まっている傾向の実現を意味する。アヴニールは急激な断絶、現在との非継続性——将来どうなるかだけでなく、これから新しく起こる(à venir)何かを意味している。たとえば、トランプが二〇二〇年の大統領選でバイデンに勝利していたならば、(選挙前の)彼は「フュチュール(未来の)大統領」ではあったが、「アヴニール(新たに生まれる)大統領」ではなかったことになる。

今日の終末的な状況において最終到達点とも言えるフュチュールは、ジャン＝ピエール・デュピュイ（注：科学哲学を専門とするフランスの思想家）がディストピア的「固定点」と呼ぶもの、すなわち核戦争、生態系の壊滅、地球規模の経済的および社会的な大混乱、ロシアのウクライナ侵攻によって引き起こされる新たな世界大戦などを意味している。そうした惨事を無制限に先延ばしにしたとしても、対策を講じなければ、われわれの現実は徐々に「固定点」に引き寄せられていくのだ。未来の大惨事を防ぐためには、その流れを止めるために行動を起こすしかない。そうしてみると、かつてセックス・ピストルズが歌った「ノー・フューチャー（未来はない）」は別の意味で解釈できる。より深いレベルでは、この「ノー・フューチャー」は変化が不可能なことを指しているのではなく、破滅的な「未来」の縛りを断ち切ることによって「新たな何かが生まれる」スペースを切り開くべきだと訴えているのだ。

デュピュイが言わんとしているのは、破局の脅威と真剣に向き合うつもりならば、「投企（投影）の時間」という新たな時の概念を導入しなければならない、ということである。すなわち、時間を過去と未来が互いに影響し合うループ状のものと捉えるべきだ。未来はわれわれの過去の行動によって作られるが、その行動を決めるのは未来への予測であり、その予測に対する反応である。破局を避けられない運命と捉え、その観点から自身をその未来に投影すれば、過去（その未来が持つ過去）に反事実的な可能性（「あれとあれをしていれば、破局は起こりえなかった！」）を組みこめる。これにより、今日、これら反事実的な可能性に基づいて行動を起こすことができるのだ。[*1]

未来を変えるには過去を変えるべきだ

アドルノとホルクハイマーが『啓蒙の弁証法』で立証しようと試みたのは、まさにこの概念である。伝統的なマルクス主義が共産主義の未来をもたらすべく、人々に行動せよと強いる一方で、アドルノとホルクハイマーは、破局的な未来（徹底したテクノロジー操作による「管理社会」の到来）に自らを投影し、人々がその未来を回避するために行動するよう仕向けた。皮肉なことに、これと同じことがソ連の敗北にもあてはまりはしないだろうか。右派から左派、ソルジェニーツィンからカストリアディスまで、当時の「悲観主義者」は、民主主義を掲げる西側諸国の無分別と妥協、共産主義がもたらす脅威に対して自らの倫理に基づく政治を行う力と勇気の欠如を手厳しく批判し、西側諸国がすでに冷戦に負けたと主張し、共産主義圏の勝利と西欧社会の崩壊が間近に迫っていることを予測した。今日の視点から、われわれが彼らを嘲笑《ちょうしょう》するのは容易い。しかし、彼らのそうした姿勢そのものが、共産主義の崩壊をもたらした主な要因だった。デュピュイの言葉を借りると、未来に対する彼らの「悲観的」な予想、すなわち歴史が必然的にどのように展開するかという予想こそが、歴史がその方向に向かうのを妨げる行動を引き起こしたのである。

したがってわれわれは、現在は様々な可能性に満ち、そのなかから自由に選べるが、あとから思うとその選択はすでに定まっており必然だったという、よくある思いこみを逆転させなくてはならない。むしろ、いまは〈運命〉に導かれていると思って行動していても、あとで振り返ると、過去に別の選択肢、別の道に進む可能性があったことがわかる、と考えるべきなのだ。

言い換えれば、過去を遡《さかのぼ》って解釈し直すことはいくらでもできるが、未来に関してはそれができない。だからと言って、未来を変えることが不可能なわけではない。未来を変えるためには、まず、別の未来に向かう道が開けるように過去を解釈し直し、過去を(「理解する」のではなく)変えるべきである。ロシアによるウクライナ侵攻は新たな世界戦争を引き起こすのか? その答えは、逆説的なものでしかありえない。すなわち、新たな戦争が起こるとすれば、それは必然の戦いなのだ。デュピュイが主張するように、「たとえば災害などの大規模な出来事が起こった場合、それは、起こるべくして起きたのである。一方で、災害が起こらなかったのであれば、その災害は不可避でないということになる。それゆえに、出来事の実現、つまりそれが起こったという事実が、それが起こる必然性を事後的に作りあげているのだ」[★2]。

（アメリカとイラン、中国と台湾、ロシアとNATO……のあいだで）全面的な軍事衝突が起これば、われわれの目には、それは起こるべくして起きたように見えるだろう。すなわち、人は無意識にその戦争に至るまでの過去を、戦争勃発を余儀なくさせた一連の出来事として解釈する。戦争が起こらなければ、同じ出来事は今日われわれが冷戦を理解するように解釈される。つまり、一触即発の状態が何度も訪れたが、どちらの側も世界戦争が致命的な結果を招くことを承知していたため大惨事が回避された、とみなされるのだ。

中国の初代総理だった周恩来《しゅうおんらい》に関してこんな逸話（ほぼ作り話であることは間違いない）がある。一九五三年、朝鮮戦争の終結を目的とした平和交渉のために周がジュネーヴを訪問中、フランス人ジャーナリストが、フランス革命について彼の意見を求めた。一説によると、周は「いまはまだわからない」と答えた。ある意味では、周の言うとおりだった。その後、一九八〇年代後半に起こった東欧における「人民民主主義」の崩壊とともに、フランス革命の歴史的意義に関する論争が再び高まった。自由主義を掲げる修正論者たちは、一九八九年の共産主義の終焉がまさに絶好のタイミングで起こり、一七八九年に始まった一時代に終止符を打ったと主張する。彼らによれば、これはジャコバン派（注：フランス革命の急進的な政治党派）とともに誕生した革命モデルにとって決定的な失敗であった。しかし、フランス革命の意義をめぐる議論は、いまなお続いている。今後、政治的および社会的な束縛からの解放を目指す急進的な政治体制が新たに台頭すれば、フランス革命は歴史的な行き詰まりとはみなされないだろう。

それはともかく、周恩来の話に戻ると、この出来事はおそらく次のように起こったと思われる。一九七二年、訪中していたヘンリー・キッシンジャーに、一九六八年にフランスで起こった抗議運動について意見を求められた周が、「いまはまだわからない」と答えたのである。この場合も、彼の言っていることは正しかった。一九六八年はフランスにとって左派による反体制運動の年だったわけだが、そのスローガン（「排他的な」大学教育政策に反対、性役割からの解放に賛成など）はまもなく政府によって適切な形に修正され、ネオリベラルかつ自由放任の資本主義へのスムーズな移行を可能にした。また、大学教育は短期マネージメントコースに取って代わられ、性役割からの解放は性の商品化に繋がった。その意味では、次のようなことが言える。

未来が現実となっていない限り、その未来には破局が含まれると同時に、それが起こらない可能性も含まれることを考慮しなければならない。そのふたつの可能性は、一方の出来事が起きた事実によってもう一方が事後的に必然となる、関連した状態で存在するのだ。[★3]

ふたつのまろやかなクソ――原理主義右派と自由主義左派

とはいえ、軍事、生態系、社会制度の崩壊か、それを防ぐための試みのどちらかが起こりうるということではない。その認識はあまりに安易すぎる。われわれが手にしているのは、ふたつの「重複発生した必然」[★4]である。現在、人類が陥っている窮状では、地球規模の大惨事が起こることと、第二次世界大戦以降の歩みが着実にそれに向かっていることが必然であると同時に、われわれがそれを防ぐための行動を起こすことも必然なのだ。この重なった必然が崩壊すると、どちらかのみが実際に起こることになるため、どちらが起ころうと、歴史は起こるべくして起こったことになる。

社会主義のユーゴスラヴィアで過ごした私の青年時代に、トイレットペーパーに関する奇妙な出来事が起こった。あるとき、店のトイレットペーパーが不足しているという噂が広まったため、行政府は速やかに、通常の需要を満たせる在庫はあると声明を出した。驚いたことに、この声明は真実であったばかりか、国民はそれが真実であると概《おおむ》ね信じた。ところが、一般消費者はこう考えたのである。噂がでたらめでトイレットペーパーが足りていることはわかっている。だが、もしも一部の人々がその噂を真に受けてパニックを起こし、余分にトイレットペーパーを買いこめば、実際に足りなくなるかもしれない。だから私も少し買い置きしておこう……と。この消費者が買い溜めをするのに、ほかの買い物客が噂を真に受けたと思う必要すらなかった。たんに、噂を真に受けたと思う人々がいるかもしれないと思っただけで、店は実際にトイレットペーパー不足に陥ったのである。

この行動を、今日われわれが取るべき姿勢、つまり、破局を避けられないものとして受け入れる必要があることと混同してはならない。嘘から始まったのに、その嘘が示唆したことが現実化した噂とは違い、われわれの世界は実際に破局へと急速に近づいている。そして、われわれが抱えている問題は、いま私が挙げたような自己成就的預言ではなく、脅威を口にし続けるだけで何ひとつ対策を講じないという自己破壊的なものなのだ。

よって、「もしも知性を持つ地球外生命体がすでに地球を訪れているとしたら、なぜ人間と接触を図ろうとしないのか」[5]という大きな疑問に対して、研究者の一部が「しばらくのあいだ観察した結果、人間がとくに興味深い存在ではないと判断を下したのではないか」という答えを導きだしたのも無理はない。人間は比較的小規模な惑星の優占種であるにもかかわらず、その文明を幾通りもの自己破壊（気候および生態系の破壊、核による自己消滅、世界規模の社会不安）へと駆り立てながら、それに関してほぼなんの対策も講じていないのだから。ポリティカル・コレクトネス（注：政治的な正しさ）を掲げる今日の「左派」――大規模な社会的連帯を目指す代わりに、将来味方になりそうな者さえ偽りの道徳に基づく厳格な基準によってふるい落とし、あらゆる場所に性差別や人種差別を見出すことで、新たな敵を作り続けている人々――による愚行は言うまでもない[6]。

たとえば、二〇二二年十一月のアメリカ大統領選中間選挙前の、「民主党は中絶の権利のみに焦点を絞るべきではない」というバーニー・サンダースの警告に対する反応もそうだ。サンダースは、民主党が広範な目標を掲げる必要があると訴え、アメリカが直面している経済危機に注意を向け、共和党の「反労働者」的な見解がいかに労働者階級にとって有害であるかを指摘すべきだと主張した[7]。するとサンダースは常に中絶の権利を支持してきたにもかかわらず、一部の熱烈なリベラル・フェミニストが即座に、反フェミニズムだとして彼を強く非難した。

地球を観察している前述の異星人は、サンダースとは対極にある政治家に関する奇妙な事実にも目を留めたにちがいない。イギリスのリズ・トラス首相がわずか数週間の就任期間中に、支援を訴える労働者階級を無視し、自分の認識する市場の需要に従うという経済対策を取ったという事実である。とはいえ、トラスの失墜を招いたのは一般大衆の不満ではなく、彼女が重要視したその市場(株式市場や巨大企業など……)が政府の打ち出した予算案を見てパニックを起こしたことだった。これもまた、どんなに進歩的であろうと大衆に迎合していようと、今日の政策が資本の利益を代表していることの紛れもない証拠である。

一部の報道によると(予想どおり、クレムリンは否定したが)、二〇二二年十二月初め、プーチンは自宅の階段から落ち、粗相《そそう》をしたそうだ。[★8] バイデンも二〇二一年にローマ教皇を訪問したさい、同じ経験をしたと言われている。[★9] たとえ真偽のほどは疑わしくとも、これらの逸話は「真実でなくとも、なかなかよくできた話」であり、われわれ人類が置かれた現状を的確に表している。つまりわれわれは、新たに台頭した原理主義右派と、自由主義

「ウォーク（注：woke。人種差別や社会問題に対して関心を持つこと、敏感でいることを意味するスラングで、覚醒したという意味。過剰な意識の高さに対して否定的なニュアンスで使われることが多い）」左派という、ふたつのクソに挟まれているのだ。ちなみに、クソは実際に目下の流行となっている。世界で最も高価なコーヒー、「コピ・ルアク」は文字どおり、東南アジアおよびアフリカのサハラ砂漠以南に生息するネコ科生物、ジャコウネコが一部を消化し、糞《ふん》として排出したコーヒー豆から作られている。ジャコウネコの消化酵素がコーヒー豆に含まれるタンパク質の構造を変え、酸味を薄めて、まろやかな味にするのだ。コピ・ルアクの大半はインドネシアで生産され、アメリカに輸出されて、一杯八十ドルのコーヒーとなる。[★10]今日波及しているイデオロギー、とくに右派ポピュリストのイデオロギーは、まさしくイデオロギー版コピ・ルアクと言えるのではないだろうか。

世界各地の政治指導者は、社会的束縛からの解放という伝統の最も高潔な部分（反ファシスト、反人種差別闘争、営利に重点を置く快楽主義的な生き方の拒否、一般人を搾取する金融エリートとの闘い、植民地主義の名残《なごり》を撤廃する試みなど）を呑みこむ。すると、ネオファシストあるいは新自由主義の消化酵素がそれぞれ、既存のグローバル資本主義体制を破壊しているふりをしながら急進的な酸味を取り除き、その資本主義体制に適合するまろやかなクソ

（糞）へと変えているのだ。

「新しい何か」の到来を選ぶために

ここで、真実と嘘の関係という非常にデリケートなテーマに触れるとしよう。次の退屈なジョークには、現在人類が陥っている窮地を仄《ほの》めかす興味深いオチがある。

ある日、妻が夫に、近くの店に行き煙草《たばこ》をひと箱買ってきてほしいと頼んだ。彼は買い物に行くが、すでに夜とあって店は閉まっていた。そこでバーに行き、バーテンダーのグラマーな女性と意気投合して、彼女のアパートで何時間か情熱的に愛を交わしたあと、煙草を買うのにこれほど長くかかったことを妻にどう説明したものかと頭を悩ませ、あるアイデアを思いつく。そして、その女性にベビーパウダーがあるかと尋ね、それを手にすりこんで家に帰った。かんかんに怒って待っていた妻にどこにいたのかと問い詰められると、彼はこう答えた。「店が閉まっていたから、近くのバーに煙草を買いに行ったのさ。そこでバーテンのグラマーな女性に色目を使い、彼女の部屋でベッドインして、二時間ばかり愛を交わし、家に帰ってきたんだ……」。

「この嘘つき！」妻が遮《さえぎ》った。「両手についているパウダーに気づかないとでも思ったの？　ずっとやりたかったことをやったのね？　あれほどだめだと言ったのに――友達と深夜のボウリングに出かけたんでしょう！」。

このジョークは、今日のイデオロギーがどう機能するかを表している。つまり、真実を告げると同時に、確実にそれが嘘だとみなされる状態を作りだしているのだ。たとえば、二〇二二年七月、ベラルーシの大統領、アレクサンドル・ルカシェンコが、「忘れっぽいヨーロッパ」に、祖先が犯した（ファシストの）罪の道徳的浄化を行うよう要求したが★11、この要求の実際の意図は、ヨーロッパの中核をなす急進的かつ解放主義的、反ファシスト的な伝統を消し去ることにあった。道徳的浄化を求めるそうした要求のあとには、混じりっけなしの荒々しい怒りが爆発することが多い。ペーター・スローターダイクが指摘したように、ヨーロッパ文明の起源ともいうべきホメロスの『イリアス』は、アキレスの怒りの歌から始まるのだ。であれば、ヨーロッパの最後を語る詩は、「プーチン大統領の怒りを歌え――ヨーロッパに数知れぬ死と喪失をもたらした残忍で呪うべき怒りを」という言葉で始まることになるのだろうか。この怒りは、二〇二二年十月、ウクライナの一部の統合を記念して赤の広場で催された大規模な軍事パレードで披露された。俳優であり歌手のイヴァン・オフロビスティンが、扇動的なスピーチを以下の激励で締めくくったのである。

われわれはこの戦いを聖戦と呼ぶべきだ！　聖戦だ！　古代ロシア語にゴイダ(Goida)という単語がある。ゴイダは即時行動を要請する言葉だ。今日、われわれにもこれと同じような雄叫《おたけ》びが必要だ！　ゴイダ、兄弟姉妹たちよ！　ゴイダ！　旧世界の人々よ、われわれを恐れるがいい！　美と真正の信仰と英知の欠如した狂人や変態、悪魔崇拝者の支配する世界よ！　われわれを恐れろ——われわれが成敗しに行くぞ！　**ゴイダ**!!![★12]

「ゴイダ」は、とくに近代では「さあ、行くぞ！　考えるな！　とにかく従い、やれ！」という意味を持つ。(実際および想像上の)敵を苦しめたと言われるイワン雷帝直属の親衛隊、オプリーチニキの雄叫びとしても使われたこの古代ロシア語が、無慈悲なテロ、拷問、殺害を示唆しているのは明らかだ。ついでに言うと、この数十年で唯一、オフロビスティンの激励と同じくらい扇動的なスピーチは、一九四三年初め、スターリングラードの戦いに敗れたあと、ゲッベルスがベルリンで行った悪名高い「総力戦演説」である(実際、美と真正の信仰と英知の欠如した狂人、変態、悪魔崇拝者からなる世界とは、まさしくプーチンの世界そのものだ)。しかし、赤の広場で行われた軍事パレードは、見せかけの祝典だったことを心に留めておくべきだろう。群衆のほとんどが、この祝典のためにバスで運ばれてきた国家職員であり、その大半がオフロビスティンのスピーチに熱狂するどころか、恐怖の表情を浮かべるか、無関心な反応を示しただけだった(のちにテレビ局がこの映像に拍手と歓声を加えた)。

今日のロシアが、イデオロギー的コピ・ルアクの最たる例であることは間違いないが、それがロシアとその同盟国のみに限られると思いこむほど危険なことはない。トランプを支持するネオコン(注:米国の軍事力を積極的に利用し、自らの掲げる民主主義や自由を広めていこうとする新保守主義に同意する保守派)が差しだしているのも、似たようなコピ・ルアクではないか? 最も高潔な自由民主主義イデオロギーも、グローバル資本主義による搾取と「人道主義的な」軍事介入を正当化するために、われわれのネコによって消化されているのではないだろうか? 人類はみな、この「クソ」のような状況に、膝《ひざ》まで埋まっているどころか――汚い表現を使っても差し支えなければ――ケツまでどっぷり浸かっているのだ。

そういうわけだから、地球を観察している異星人がいるとすれば、こうした病に感染しないために人類を無視するほうが、はるかに安全だと判断するにちがいない。一方、われわれが「新しい何か」の到来を選ぶならば、そのときは異星人の注目に値する存在になれるかもしれない。本書は、その「新しい何か」を実現するための指針を探っている。また、たんに厳しい現実を認識するだけではなく、本当の意味での目覚めをもたらそうという切迫した試みでもある。何よりも、われわれはいまこそ目を覚まし、新たな自分へと変わっていかねばならないのだ。

第一章　さらばレーニン
ようこそ無能な侵略者たち

ウクライナ危機の滑稽な側面

フロイトの有名な論文のタイトルを言い換えると、今日、政治家の品性がいかに低下しているかに気づく（注：ここで言及されているフロイトの論文は「On the Universal Tendency to Debasement in the Sphere of Love」（性愛生活が貶められる普遍的傾向）である）。ロシアのウクライナ侵攻の二週間前に行われた記者会見で、ウラジーミル・プーチンは、ドンバス地域における紛争を終わらせるため同地域に期間限定の自治権を与えるミンスク合意にウクライナが不満を持っていることに言及し、「好むと好まざるとにかかわらず、それがきみの義務なのだ、私の美しい人よ」と付け加えた。

この言い回しには、よく知られた性的な意味合いが含まれている。プーチンが、ソビエト時代のパンクロック・バンドであるレッドモールドが作曲した「棺《ひつぎ》のなかの眠れる美女」の歌詞、「棺のなかの眠れる美女。おれは忍び寄って、彼女を犯した。好むと好まざるとにかかわらず、眠るんだ、おれの美女」[★13]をもじったことは明白だ。クレムリンの報道担当者は、この引用は古い民謡の一節から取ったものだと主張したが、プーチンがウクライナを忌まわしくも死体性愛とレイプの対象とみなしたのは明らかである。

プーチンには前科がある。この発言の二十年前にも、西側のジャーナリストの質問に、去勢という下品な脅しで答えているのだ。「完全なイスラム過激派になり、割礼《かつれい》を受ける覚悟があるなら、きみをモスクワに招待しよう。ロシアは多数の宗派を持つ国だから、その問題（割礼）の専門家もいる。術中、二度と使いものにならなくなるような処置を施《ほどこ》してやろう」★14と。下品な表現を好む者どうし、プーチンとトランプの仲が良いのも納得である。

こう書くと、プーチンやトランプのような政治家は少なくとも偽善者ではない、率直に本音を口にすると反撃する者たちがいるが、政治的な発言においては、私は百パーセント「偽善」、つまり本音を率直に言わないことを支持する。こういう場合の（偽善という）形態は、決してたんなる形式ではなく、粗野な発言を和らげる効果を持つのだから。

プーチンの卑猥《ひわい》な発言は、西側メディアに「美しい国をレイプする」という脅しと報道されたウクライナ危機を背景に読み解くべきである。ウクライナ危機には、滑稽とも言える面がある。これもまた、社会情勢が混乱を極める現代において、この危機がいかに深刻であるかを裏付けていると言えるだろう。スロヴェニアの政治分析家ボリス・チベイが二〇二二年二月の初めに、ウクライナを取り巻く緊迫した状況のコミカルな側面を指摘している。「攻撃を仕掛けると予測されている者（すなわちロシア）はその意図はまったくないと主張し、危機的状況を鎮《しず》めたいかのように振る舞う者は紛争が避けられないと主張している」[15]と。

さらに掘り下げて説明すると、ウクライナの守護者であるアメリカが、いつ戦争が起こってもおかしくないと警告する一方で、ウクライナの大統領は戦争ヒステリーを起こしてはならないと警告し、落ち着くよう呼びかけた。この状況は、性的暴力にたとえて解説できる。ウクライナをレイプする準備を整えたロシアは、そんなことはできればしたくないと主張しつつも、ウクライナが性行為に同意しなければ無理やり目的を果たすことを、言葉の端々で明らかにしていた（プーチンの卑猥な返答を思い出してほしい）。それに加えてロシアは、挑発したのはウクライナだと非難している。アメリカはソビエト連邦の崩壊によって独立した国々の守護者という立場を明確にするため、いまにもレイプが起こりそうだと警鐘を鳴らした。だが、彼らが約束する守護は、強盗から守る代わりに「同意しなければ恐ろしいことになるぞ」と庇護《ひご》下に入るよう店やレストランをやんわりと脅すギャングを彷彿《ほうふつ》させる。脅威の標的であるウクライナは、アメリカの警告にうろたえ、冷静さを保とうと努めた。レイプに関して大騒ぎすれば、ロシアが実際にその罪を犯すことを承知していたからである。

ロシアの「国民の声を聞く」ことの実態

　さて、ロシアのウクライナ侵攻開始から十八か月が経過したいま、この戦争と、それによって起こりうる予測不可能な危険のすべてをどう解釈すべきだろうか。ロシア・ウクライナ戦争が危険な理由が、かつて超大国と言われていた二大強国の力が増大しているからではなく、どちらも世界の二大勢力でなくなった事実を受け入れられないことを露呈しているからだとしたらどうか？　毛沢東は冷戦のさなか、アメリカは強大な軍事力を誇るとはいえ張り子の虎にすぎないと発言したが、張り子の虎が本物の虎よりも危険になりうると付け加えるのを忘れた。アフガニスタン撤退においてアメリカが犯した失態は、同国の地政学的優位性を揺るがす数々の深刻な打撃のひとつである。一方、かつてのソビエト帝国を再構築せんとするロシアの努力は、いまや衰退の一途をたどる弱い国家になりさがった事実を隠蔽《いんぺい》する必死の試みにすぎないのだ。実際の強姦魔《ごうかんま》と同様に、結局のところ、レイプは攻撃者の性的不能を示しているのだから。

　この無能ぶりは、ロシア軍が他国の領土に初めて直接的な侵攻を開始したときに明白になった。「初めて」というのは、シリアやクリミア、中央アフリカ共和国やボスニアのスルプスカ共和国（注：ボスニア・ヘルツェゴビナ内のセルビア人が主に住む地域）などで様々な紛争に関与してきたロシアの民間軍事会社ワグネル・グループの非道な役割を別にすれば、である。かつてロシア政府が自らの関与を否定しなければならない紛争に国防省の一ユニットとして関わっていたこの身元不詳の傭兵《ようへい》軍団は、（以前クリミアで行ったように）何年も前からドンバス地方でウクライナの統治に対する「自発的な」抵抗運動を組織し、活動を続けていた。やがてこの緊張が紛争に発展すると、ロシア議会は、ロシアが実効支配する分離独立派地域であるドネツク人民共和国およびルハンスク人民共和国の分離独立を承認するよう大統領に直訴する案を可決した。プーチンは実際に承認したとき住民の要望に応えたように見せかけるため、当初、これらの地域の独立を即座に認めることはないと発言していた。これは、その数十年前にスターリンが提唱し、実践した原則に倣《なら》う戦略である。一九二〇年代半ば、スターリンは、ロシア・ソビエト連邦社会主義共和国政府が周囲の五共和国（ウクライナ、ベラルーシ、アゼルバイジャン、アルメニア、グルジア）の政府となることを宣言するよう提案し、この重大な決定がそれら共和国の願望として発表されるべきだと論じた。

現在の決定がロシア共産党中央委員会によって承認された場合、その事実は公表されず、各共和国のソビエト機関である中央執行委員会あるいはソビエト大会に回覧するため各共和国の中央委員会へ送られたのち、全ロシア・ソビエト大会が招集され、各共和国の要請として宣言されることになる。[★16]

要するに、高等権威機関（中央委員会）が下部組織に自らの意志を強要するために両組織間の連携が廃止され、あろうことか、その逆であるように演出されるのだ。すなわち、中央委員会は下部組織からの要請事項を自ら決め、それを下部組織の意志であるかのごとく見せるのである。

このような演出の最も顕著な例として、一九三九年に起こった事件が思い出される。バルト三国を占領したソビエト連邦は、国家が「自らの意志」でソ連への併合を要請できるよう「住民投票」を手配し、予定どおり三国の嘆願書を受け入れた。スターリンが一九三〇年代後半に行ったのは、要するに、改革前の帝政時代における対外および国内政策への回帰にすぎなかった（たとえば、ロシアがシベリアとイスラム圏のアジアを植民地にすることは、帝国主義的拡張として非難されるどころか、進歩的な近代化の導入だと評価された）。同様に、プーチンは二〇二二年二月に安全保障会議を開き、各メンバーに、人民共和国を自称するドネックおよびルハンスクの独立を承認する決断を支持するかどうか尋ねた。スペインのエル・パイス紙によれば、対外情報庁長官のセルゲイ・ナルイシキンは、自分の番が回ってくると――

まず、短期間の期限つきで西側諸国に最後通牒を突きつけ、ミンスク合意に戻る最後のチャンスを与えてはどうかと提案した。プーチンは冷ややかに彼を遮り、「どういう意味だ？　交渉を始めろと提案しているのか、それとも独立を承認しろと提案しているのか？」と問いただした。ナルイシキンはたじろぎ、答えに詰まって青ざめ、「はい」と言ったあと「いいえ」と述べた。プーチンが気まずい沈黙を破り、「はっきり答えなさい」と促すと、プレッシャーに耐えかねた情報庁長官は意見を覆《くつがえ》したばかりか、さらに先走りドネツクとルハンスクのロシアへの加盟を支持すると述べ、プーチンに再び問い詰められた。「そんな話はしていない。われわれは、彼らの独立を承認するかどうかを話し合っているのだ。イエスか、ノーか？」。ナルイシキンはびくびくしながら、またもや発言を撤回し、「イエス、独立に賛成します」と答え、プーチンに「ありがとう、座ってよろしい」と着席を許された。[★17]

ナルイシキンはすでに決まっていた筋書きを乱したのだ。まず、温和すぎる提案（もう一度、西側諸国に最後通牒を突きつけてはどうか）を口にし、それからパニックに陥って、ロシアへの加盟を支持する、と先走る意見を口にした……エル・パイス紙の解説者は、「あの場の手に汗握る緊迫感は、映画や小説であれば最大の見せ場となっていただろう。しかし、これは作り話ではない」と書いている。

この逸話は、ロシアの上級高官たちの状況に関して、それ以後公開されてきたどんな極秘情報よりも多くの事実を物語っている。対外情報庁長官であり、誰もが恐れるほど多数の極秘情報を有しているナルイシキンが真っ青な顔で口ごもり、ようやく正しく答えられた不出来な学生よろしく着席を命じられた。これが今日、ロシアが言う「国民の声を聞く」ことなのだ。[★18] 完璧に情報操作ができるいまの時代に、その操作が実際にどう行われているのかをここまで大っぴらに見られるチャンスはめったにない。西側諸国では、この操作はもっと微妙なやり方で行われている。

レーニン主義の伝統の排除

われわれが心に銘記すべきは、現在のウクライナ侵攻が、ロシアにおけるレーニン主義の伝統の排除を目的とした長きにわたる奮闘の総仕上げであることだ。西側諸国でレーニンの名が最後に見出しを飾ったのは、二〇一四年にウクライナ騒乱が勃発したときだった。親ロシア派のヤヌコーヴィチ大統領が失脚したこの騒乱では、キーウ（キエフ）で行われた大規模な抗議運動がテレビで放送され、われわれは怒りを募らせたデモ参加者がレーニン像を倒す映像を繰り返し目にした。レーニン像をソ連による弾圧のシンボルと捉え、プーチンの治めるロシアが旧ソビエト連邦国家を服従させる政策を継続しているとみなすのであれば、この暴挙も納得がいく。とはいえ、ウクライナ人が国家主権を行使する願いの表れとしてレーニン像を取り壊すという行為には大きな皮肉がある。というのも、ウクライナにおけるナショナル・アイデンティティの黄金時代は、レーニン以前の帝政時代（ウクライナの国家的自己主張が挫《くじ》かれた時代）ではなく、本格的なナショナル・アイデンティティが確立された、ソビエト連邦における最初の十年間だからだ。

一九二〇年代を通して、「コレニザーツィア」（文字どおりには土着化の意味）と呼ばれたソ連の政策では、ウクライナの文化や言語の復興が奨励された。この文化復興と、万人のための保険医療や、労働状況、住宅供給、女性の権利の改善などの進歩的な方針が、ウクライナ国家の繁栄に繋がったのである。こうした政策による効果は、一九三〇年代前半にスターリンが権力を確立したとたんに逆行し、ウクライナはとくに大きな打撃を被《こうむ》った。一九三二年から一九三三年にかけて、数百万人ものウクライナ人犠牲者を出した恐ろしい人為的大飢饉「ホロドモール」もそのひとつである。また、一九三六年から一九三七年にかけて行われた大粛清により、その二年後には、ウクライナ共和国の中央委員会メンバー二百人のうち、わずか三人しか残っていなかった。[19] しかも、スターリンによって台無しにされたウクライナの「土着化」は、レーニンによって形作られた原則に沿って行われたのである。下記に、その旨がきわめて明確に述べられている。

プロレタリアートは、それぞれの国家で、被抑圧民族の強制的な支配に抵抗せねばならない。これこそが、自決権を得るための闘いが意味するところだ。プロレタリアートは、植民地および「自国」が抑圧する国家の分離権を要求しなければならない。そうでなければ、プロレタリア国際主義は意味のない言葉であり続け、抑圧民族と被抑圧民族の労働者のあいだに信頼と階級的連帯が芽生えることはありえない。[20]

レーニンは最後までこの姿勢を貫き続けた。スターリンが目指した中央集権制のソビエト連邦に対する最後の抵抗において、レーニンは再び、小規模国家の無条件の連邦離脱権を要求し(この場合、グルジアの民族的独立がかかっていた)、ソビエト連邦構成国の主権を主張した。一九二二年九月二十七日、政治局員に宛《あ》てた手紙のなかで、スターリンがレーニンを「民族的自由主義」であると大っぴらに非難したのも驚くにはあたらない。今日のプーチンの対外政策が、帝政ロシアにおけるスターリン主義の延長であることは明らかだ。プーチンによると、一九一七年のロシア革命後、ロシアを苦しめたのはボリシェヴィキの変節だった。

自分の思想を指針に統治するのは正しいことだが、それはその思想が正しい結果に繋がるときのみで、ウラジーミル・イリイチ(レーニン)のときのような結果に終わる場合は別だ。結局のところ、彼の思想がソビエト連邦の崩壊を引き起こしたのである。様々な地域に自治権を与えるなどの案が数多く存在した。そうした思想がロシアという名の建物の下に、のちに爆発することになる核爆弾を仕掛けたのだ。[★21]

真のプロレタリア国際主義vs.ロシアの望む国際主義

詰まるところレーニンは、ロシア帝国を構成する各国家の自治権を真剣に捉えたこと、ロシアの覇権に疑問を抱いたことにおいて有罪なのだ。トロツキーはレーニンの足跡を忠実にたどった。一九三九年四月に「ウクライナの問題」[★22]として掲載されたトロツキーの論説のふたつの副題、「自由で独立したソビエト・ウクライナのために！」と「ソビエト憲法は自決権を認めている」が、それを物語っている。トロツキーはこれをもとに、論理的な結論を導きだした。「しかし、クレムリンの〝友人たち〟はこぞって、ウクライナの独立は、ソビエト・ウクライナがソビエト社会主義共和国連邦（USSR）から離脱することを意味すると叫ぶ。〝それのどこが、そんなにひどいことなのか〟というのが私たちの答えだ」と。これこそが真のプロレタリア国際主義だ！

スターリンは一九五二年の最後のスピーチで、イタリア共産党の指導者パルミーロ・トリアッティとフランス共産党書記長モーリス・トレーズの「国際主義」を称《たた》えた。なぜなら彼らは、ソ連軍が自国に侵入しても戦わないと宣言したからである。これが、今日のロシアがウクライナに望む「国際主義」なのだ！　ロシアの軍事パレードや公式の祝典からレーニンの肖像画が一掃され、再びスターリンの肖像画が掲げられるようになったのもまったく不思議ではない。数年前に行われた大規模な意見投票で、スターリンはロシアの歴史における最も偉大な人物の第三位に選ばれたが、レーニンの名前はどこにも見当たらなかった。スターリンは共産主義者としてだけでなく、レーニンの反愛国主義的「逸脱」後に、偉大なるロシアを復活させた人物としても称えられているのだ。

二〇二二年二月二十一日、ドンバス地域に軍事「介入」を行うという宣言のなかで、プーチンがかつての主張を繰り返し、ロマノフ王家失墜後に権力を手にしたレーニンこそがウクライナの「作者でありクリエイター」であると断じたのも驚くにはあたらない。[★23] これほど、プーチンの心の内を明確に表している発言があるだろうか。ロシアにいまだ同情心を抱く左派（「結局のところ、ロシアはソビエト連邦の後継者であり、西洋の民主主義は偽物で、プーチンはアメリカ帝国主義に反対している……」と主張する人々）は、プーチンが保守的な国家主義者であるという厳然たる事実を全面的に受け入れるべきだ。アメリカとロシアは衰退しつつある超大国であり、その保守的国家主義があまりに脆《もろ》いがゆえに非常に危険な存在となっている。いま何よりも必要なのは、真のプロレタリア国際主義だ。ロシアの侵攻開始後、われわれはウクライナにその片鱗を目にしてきた。

第二章　戦争（と平和）の異常な平常化

戦争はこれまでと異なる意味を持つ段階に突入した

ロシア語では、兵士が行進するさい、指揮官がこう叫ぶ。「ラズ、ドヴァ、ラズ、ドヴァ……（〝ワン、ツー、ワン、ツー……〟あるいは〝左、右、左、右……〟）」。もう何年も前だが、プーチンはモスクワで「ドヴァプーチン」と呼ばれていると聞いたことがある——「ラスプーチン（注：皇帝夫妻の友人で宮廷に絶大な権力をふるった祈禱僧《きとうそう》）に対する、ドヴァプーチン」である。ドヴァプーチンは、間違いなくラスプーチンよりずっとひどい存在だ。ラスプーチンは第一次世界大戦の初期、国民の大半が困窮しているなかロシアが全面戦争に突入すれば、政治体制そのものの破滅を招きかねないと皇帝一家に警告した。今日、ロシアは同じ状況に直面している。現在ラスプーチンの役目を果たしているのが誰であれ、ドヴァプーチンはその人物の忠告に注意深く耳を傾けるべきだ。

ロシアのウクライナ侵攻により、戦争はこれまでと異なる意味を持つ段階に突入した。両陣営が核兵器を有し、新しいレトリックが出現しつつある（プーチンは、ロシアは先に核兵器を使う覚悟があると明言した）のもこれまでの戦争とは異なる点だが、われわれはいま、一連の大惨事（パンデミック、地球温暖化、食糧不足や水不足、戦争……）が個々の惨状をさらに増幅し合うという最悪の事態に近づきつつあるのだ。したがって、たんに戦争か平和かを論じるだけでなく、地球規模の緊急事態に適応し、絶えず優先事項を変更していかねばならない。

ここで、現在の状況が根本的な意味でいかに狂気じみているかを説明する必要がある。生態学的理由により人類の存続そのものが脅威にさらされていると概ね意見が一致し、この危機に対処するためにあらゆる行動を見直さねばならないときに、突然、集団自殺への近道にしかなりえない新たな戦争が最優先の課題となった。地球規模の協力が何よりも必要とされているときに突如として、またもや「文明の衝突」が起こったのである。この事態を大資本の利益や国家管理という観点から説明するだけでは不十分だ。多くの場合にそうであるように、ここでも例によってヘーゲルの思想へと舞い戻る必要がある。

主人と奴隷の弁証法を説いたヘーゲルの『精神現象学』のとりわけ有名な一節が、現在われわれが置かれた状況を示唆しているのではないだろうか。ふたつの自己意識（主奴）が生死をかけて闘い、さらにどちらの側も自らの命を犠牲にする覚悟ができているとする。両者が最後まであきらめない場合、勝者は存在しない。片方が死に、もう片方は生き残るが、その存在を承認する他者が失われてしまうからだ。自由、闘い、承認の歴史――端的に言うならば、これまでの世界史、人類の文化史――は、最終決戦の途中で片方（未来の奴隷)が「目をそらし」決着を避けねばならないという前提があって初めて成り立つのである。

どのような主従関係にも暴力の脅威は常に付きまとうが、実際に起こることは稀《まれ》であり、ときおり抵抗運動が起こる程度だ。一方、ヘーゲルもよく知っていたように、国民国家間においては妥協による解決は存在しない。並存する主権国家間には、戦争が勃発する可能性が付きまとう。それぞれの国家はその国民を規則に従わせ、国内の平和を保障するが、別の国家との関係は永続的に戦争の可能性にさらされており、平和な時代とは一時的な休戦状態以外の何物でもない。ヘーゲルが概念化したように、国家のこの倫理全体が、究極の英雄的行為、つまり自らの命を国民国家に捧《ささ》げる覚悟に集約される。要するに、国家どうしのこの暴力的な関係が、各国内における社会的規範の基盤となるのだ。容赦なく核兵器やミサイルの開発を進める現在の北朝鮮は、国民国家は無条件の主権を持つというこの論理の最たる例ではないだろうか?

中国もまた同じ方向に進んでいることを示す明らかな兆候が見られる。中国にいる友人たち(名前は伏せておく)から聞いた話によると、国内で人気の軍事関連雑誌では、米軍はイラクやソマリア、マグレブ(注:アフリカ北西部のアラブ諸国)で長いこと実戦を行っているのだから、中国軍にも戦力を試す本物の戦争が必要だと大勢の記者がこぼしているそうだ。彼らは失敗に終わったベトナムへの短期介入以降、数十年にわたり実戦の機会がないことを嘆いているのだ。平和的に台湾を中国に併合するチャンスがほぼなくなりつつあるいま、必要なのは軍による台湾の解放だと、大規模な国営メディアが堂々と主張したのは、つい最近のことである。この計画実現に向けたイデオロギー的準備として、中国はアメリカが台湾での戦争を望んでいると非難し、国民の愛国心と外国への不信感を煽っている。二〇二一年秋、中国政府は、諸事情により食糧の供給が滞《とどこお》ったときに備え、二か月分の食料を蓄えておくよう国民に勧めた。[★24] これは、通常であれば戦争が差し迫ったときに出される奇妙な勧告だ。

もうひとつ、中国で特大ヒットを飛ばした映画『1950 鋼の第7中隊』についても言及しておくべきだろう。中国共産党の百周年を記念して二〇二一年に公開されたこの映画は、一九五〇年の朝鮮戦争における中国の介入を称えている。それに続く三月、中国の王毅《おうき》外相は、ウクライナに対する中国の(中立なのは見せかけだけで、事実上はロシア贔屓《びいき》な)姿勢は「客観的かつ公正で、大半の国々の願いと一致しており、時間の経過とともに中国が歴史の正しい側にいることがわかるだろう[★25]」と力説した。それを聞き、私はこう思った。

「時間の経過とともにわかる」とは、やがて世界の多くの国でウクライナ批判が広まる、ということではないか。もしもこれが現実になるとすれば、そのような嘘が真実に打ち勝つ世の中に生きていたくはないものだ。

第三次世界大戦はすでに始まっている

国家主権を破壊的行為と戦争によって確立する傾向は、喫緊の課題である環境対策の新たな形態を作りだす必要性とも、ペーター・スローターダイクが「野生動物文化の家畜化」と呼ぶ、政治経済における根本的な改革の必要性とも、真っ向から対立する。宇宙船地球号の乗組員である事実を完全に受け入れたそのときから、われわれには文明そのものを文明化し、世界中のすべてのコミュニティに連帯と協力態勢を速やかに確立する任務が課される。しかし、セクト主義の宗教および民族主義に基づく「英雄的な」暴力行為、特定の大義のために自らを(そして世界をも)進んで犠牲にする行為が近年とみに増加しているため、この任務を遂行することがいっそう難しくなっている。アラン・バディウは一年以上前に、未来の戦争の輪郭がすでに描かれていると書いた。

一方にアメリカと西側諸国（日本を含む）、もう一方に中国とロシアがいて、世界の至るところに核兵器が配備されている。「革命が戦争を防ぐことになるか、戦争が革命の引き金を引くかのどちらかだ」というレーニンの言葉を思い出さずにはいられない。今後の政治活動における最大の目標は、次のように定義できる。歴史上初めて、ふたつ目の「戦争が革命の引き金を引く」ではなく、ひとつ目の「革命が戦争を防ぐ」という仮説を実現することだ。第一次世界大戦中のロシア、および第二次世界大戦中の中国では、実質的にふたつ目の仮説が実現したが、その代償は計り知れないほど大きく、またいかに長きにわたる余波を伴ったことか！[★26]

われわれの文明を文明化するためには、根本的な社会変革——革命——が必要だという結論を避けて通ることはできない。しかし、新たな戦争がこの革命に繋がることを願う余裕などない。新たな戦争が起これば、ほぼ間違いなくわれわれの知る文明は滅び、残った生存者は（いると仮定しても）複数の小規模な権威主義グループを形成するだろう。幻想を抱いてはいけない。これまでのところ代理人たちが実際の戦いの大半を行っているにせよ、基本的には、第三次世界大戦はすでに始まっているのだ。この事実を認めるのが早ければ早いほど、それが全面戦争へと発展するのを阻止できるチャンスが高まる（ロシアを財政的および経済的に援助することで、中国がすでにロシア・ウクライナ戦争に加担していることも忘れてはならない）。

われわれはみな平和を望んでいるが、ただ漠然とそれを求めるだけではじゅうぶんとは言えない。「平和」という言葉だけでは、重要な政治的区別がつけられないからである。侵略者は常に、自分たちが占領した領土の平和を心の底から望んでいる。一九四〇年代前半にフランスを占領したドイツも間違いなくフランスの平和を望んでいたし、イスラエルも自分たちが占領したヨルダン川西岸《ウエストバンク》の平和を望み、ロシアもウクライナの平和のために軍事作戦を遂行している。だからこそ、エティエンヌ・バリバールは残酷なほど正直に、今日「平和主義は選択肢ではない[★27]」と断じるのだ。われわれは新たな全面戦争の勃発を阻止すべきだが、そのためには、すべての人々が、局地的な戦争によってのみ保たれうる今日の「平和」なるものに断固として反対する必要がある。ソビエト連邦が崩壊したあと、キューバが宣言した「平時における特別な時期」を思い出してもらいたい。この表現は、平時における戦時態勢を意味していた。これこそ、いまわれわれが置かれている苦境に使うべき言葉ではないだろうか。

詩人や「思想家」の危険な夢

そのような状況のなかで、誰を、あるいは何を頼りに進めばいいのか？　芸術家や思想家か？　それとも、実利的なレアルポリティーク（注：イデオロギーや政治的理想ではなく実際的な利害に従って行われる政治のこと）だろうか？　芸術家や思想家は、戦争や犯罪の下地を作ることもあるが、逆にわれわれはアーティストからうんざりするほど陳腐《ちんぷ》な決まり文句を聞かされることもある。二〇二二年二月二十四日、女優のアナリン・マッコードは、プーチンに向けた動画メッセージで、彼を非難する詩を読みあげた。「親愛なるウラジーミル・プーチン大統領。私があなたの母親でなくて本当に残念です」に始まり、自分が母親だったら、戦争を起こしたいなどという考えが芽生えないよう愛情をたっぷり注いだのに、と続くこの詩は[★28]、明らかに的外れである。大物犯罪者の問題は、彼らが母親から息苦しいほどの愛情を注がれたことにあるのだ。

しかし、これよりもっと有害な場合もある。ウィリアム・バトラー・イェイツの有名な詩の一節を思い出してほしい。

私の夢をあなたの足下に広げます

どうかそっと歩いてください
私の夢の上なのですから

この一節は、詩人たち自身に当てはめるべきだ。彼らは実在の人々がそれに基づいて行動することを念頭に置き、最大限の注意を払ってわれわれの足下に夢を広げねばならない。この詩を書いたイェイツ本人はファシズムに片足を突っこみ、一九三八年八月には反ユダヤのニュルンベルク法を公に是認した。民族浄化は、詩なしでは存在しない。なぜかと言えば、われわれが、ポストイデオロギーとされる時代を生きているからである。もはや、偉大なるイデオロギー的大義（自由、社会正義、無償の教育）は、人々を集団暴力へと駆りたてる原動力とはなりえない。人々が行動を起こすには、より重要な大義——人を殺すことなど些細な問題でしかないと思えるような、聖なる大義が必要なのだ。その役目を果たすのが、宗教的信仰あるいは民族的帰属意識である。もちろん、たんなる快楽のために大量殺人を犯す病的な無神論者も存在するが、彼らはわずかな例外だ。人を殺すには、大半の人々がまず他者の苦しみを敏感に察する基本的な本能を麻痺させなくてはならない。そのために、聖なる大義が必要なのだ。

宗教イデオロギーは通常、それが真実かどうかは別にして、宗教は悪人に善行を促すと主張する。しかし、今日、世界各地で起こっている出来事から判断すると、宗教なしでも善人は善行を、悪人は悪事を行うが、善人に悪行をさせる力を持っているのは宗教だけだ、というスティーヴン・ワインバーグの主張に耳を傾けるべきだろう。プラトンは、国家から詩人を追放すべきだと主張して自らの評判に傷をつけたが、これは概ね思慮深いアドバイスだ。というのも、この数十年、詩人や「思想家」の危険な夢(たとえばロシアでは、アレクサンドル・ドゥーギンの著作や、ニキータ・ミハルコフの映画)に先導され、あまりに多くの民族浄化が行われてきたからである。「作家と思想家《ディヒター・ウント・デンカー》」は、一歩間違えると、「裁判官《リヒター・》と絞首刑執行人《ウント・ヘンカー》」になる。したがって、ポーランドの作家にして詩人であるアンナ・カミエンスカの有名な一節、「詩は真実の予感である」には、この言葉を付け足すべきかもしれない。「そうとも。しかし、その真実は、われわれの思考に潜む最も邪悪な衝動の真の姿でもありうる」と。サッカレーの『虚栄の市』の一節を用いて言い換えるなら、〝詩はわれわれの最も醜い思いを愛おしいものに変えることができる〟のだ。

冷たい戦争ではなく、熱い平和

レアルポリティークが関わると、状況はさらに悪化する。政治的実利主義、あるいは「リアリズム(現実主義)」は、イデオロギーのまやかしに対して無力だ。というのも、現実主義に則ってイデオロギー的な単純化や素朴さをこきおろせば、「現実主義者」という自らの立場に付随するまやかしを意図的に無視することになるからである。

具体的には、どういうことか。イデオロギーはしばしば、大っぴらに行われる(イデオロギーによって正当化される)犯罪を覆い隠す外観の陰にあるものを連想させるが、そうした二重のまやかしには、「状況は一見してわかるよりも複雑だ」という表現がよく使われる。つまり、「はるかに複雑な状況(通常、その侵略を防衛行為とする説明)が背景にある」と匂わせることで、明らかな事実——たとえば残虐な軍事戦略——を相対化し、防衛行為として正当化するのだ。ロシアがウクライナを容赦なく攻撃しているのに、多くの解説者はその攻撃の裏にある「複雑さ」を探るという、まさにこれと同じことがいまウクライナで起こっている。たしかに、複雑な事情が存在するのは間違いないが、ロシアが攻撃したという基本的な事実は変わらない。われわれが犯した間違いは、プーチンが本気ではなく、戦略的な小細工をしているにすぎないと考え、プーチンの脅しを文字どおりに捉えなかったことにある。

ここでフロイトが引用した有名なユダヤ人のジョークが頭に浮かぶのは、なんとも皮肉なことだ。そのジョークにおいては、嘘が真実を意味する。ひとりが、「実際にリヴィウに行くのに、なぜリヴィウに行くと言うんだ?」と友人に尋ねる。ふたりのあいだには、リヴィウに行く場合はクラクフに行く、クラクフに行く場合はリヴィウに行くという暗黙の了解があったのだ。したがって、真実を告げるのは嘘をつくことになる。プーチンが軍事介入を発表したとき、われわれは、ウクライナ全域に「平和をもたらし」、「非ナチ化」したいというプーチンの宣言を文字どおりに受け止めなかった。落胆した戦略家たちはいまや、「実際にリヴィウを占領したかったのに、なぜリヴィウを占領するなどと言ったんだ?」と非難の声をあげている。言い換えると、この二重のまやかしは、われわれが知るレアルポリティーク――「明確なイデオロギー概念あるいは道徳、倫理的な前提に縛られるのではなく、主として、現状と実際の要因に基づく外交的または政治的な政策の制定あるいは従事」[29]――が終わったことを示唆している。

このようなレアルポリティークは原則として、(われわれの)道徳的あるいは政治的な規律に深く考えず従う単純さとは対極にある。しかし現在の状況では、この種のレアルポリティークを実行すること自体がばか正直すぎる。レアルポリティークの基本となる前提（相手、つまり敵もまた実利的な取引を望んでいる）が、もはやあてにならないからだ。

冷戦中は、国際行動の規則は明白であり、超大国の相互確証破壊（注：MAD。核戦略に関する懲罰的抑止をもとにした相互抑止の概念）に保障されていた。すなわち、両陣営ともに、一方が核による攻撃を開始すれば、相手も核兵器で応戦するとわかっていたため、戦争が抑止されていたのだ。しかし、金正恩《キムジョンウン》がアメリカに壊滅的な打撃を与えると発言すると、われわれは、彼が自分の立場をどう見ているのかについて考えざるを得なくなった。まるで、発言どおりに実行した場合、自分を含めた自国も破滅することに気づいておらず、核使用目標選択（NUTS）なるファンタジー・ゲームでもしているかのように、ミサイル防衛網で反撃から身を守りつつ敵の核兵器施設のみを破壊できるとでも言わんばかりではないか。この数十年、アメリカでさえ、MADとNUTSのあいだで揺れ動き、ロシアおよび中国との関係においてはMADの論理に頼りつつ、イランと北朝鮮にはNUTS的アプローチを考慮するかのような行動を取っている。核兵器使用の可能性をちらつかせるプーチンもまた、同じ論法に従っている。ひとつの超大国が完全に矛盾するふたつの戦略を同時に実行しているというまさにその事実が、この論法そのものがいかに現実離れしているかを示している。

しかし、現在はMADを超えた段階にある。超大国どうしがそれぞれのグローバルルールを押しつけようと互いの腹を探りながら、代理人を通してあれこれ実験しているのだ。代理人というのはもちろん、様々な小規模国家である。ウクライナ侵攻を開始した数週間後プーチンは、西側が自国に科した制裁は「宣戦布告に等しい」と述べた。この声明は、西側との経済交流は以前と変わらず続行されるべきであり、ロシアは約束どおり西欧へのガス供給を続けるという、戦争の最初の数か月間にプーチンが繰り返し行った主張と併せて考慮する必要がある。ヨーロッパがロシアへのガス供給依存を減らしたいまとなって初めて、ロシアが新たな形態の国際関係を押しつけようとしていたことが明らかになった。その国際関係とはすなわち、冷たい戦争ではなく、熱い平和――軍事介入が大量殺戮《さつりく》を防ぐための「平和を維持する」人道的任務と称される、恒久的なハイブリッド戦争である。

ロシア・ウクライナ戦争が始まったとき、われわれは「ロシア国家院は、人道支援を目的とする適切な措置への無条件かつ総力を挙げた支持を表明する」という記事を目にした。西側諸国がラテンアメリカやイラクなどに介入するさいに、これとよく似た言い回しを何度耳にしたことだろうか。遅ればせながら、いまやロシアがまったく同じ表現を使いはじめた。ウクライナの都市への爆撃、民間人の殺害、大学から産科病棟まであらゆるものの破壊を行いながら、ロシアは国際通商の継続と、ウクライナ以外の国々における平常の生活の続行を主張し、実際に続行されている。要するに、恒久的な「平和維持のための軍事介入」によって恒久的な地球の平和が保たれているのだ。ウクライナでのロシア軍による行動を描写するのに、ロシアの報道機関が「戦争」という言葉を使うことを禁じられ、「特別軍事作戦」と呼ぶよう命じられて以来、トルストイの名作『戦争と平和』はそのうち『特別軍事作戦と平和』と改題されるだろうというジョークが広まっているのも驚くにはあたらない。

国家権力の断末魔の予兆

このような苦境において、われわれは自由でいられるのだろうか？　英語では、「フリーダム」と「リバティ」というふたつの単語が、同じ自由という意味を持つ。思いきって、この対比をヘーゲルの「抽象的な自由」と「具体的な自由」にたとえて論じてみよう。

抽象的な自由とは、社会の規則や慣習に縛られずに自分のしたいことをし、蜂起や革命のさいに、それらの規則や慣習を破ることである。具体的な自由とは、一連の規則や慣習によって支えられている自由だ。日々の生活のなかで、われわれはたいてい後者に頼っている。私が人通りの多い道を自由に歩けるのは、同じ道にいる通行人が私に対して文明的に振る舞うという確信、私を攻撃するか侮辱《ぶじょく》してきた者は罰せられるという確信がじゅうぶんにあるからだ。他者と言葉を交わし、意思の疎通を図る自由を行使できるのは、私が広く受け入れられた言語規範（「行間を読む」といった暗黙のルールなど、曖昧な決まりもすべて含む）に従えばこそである。

もっとも、われわれが話す言語は当然、イデオロギー的に中立とは言えない。言語には多くの偏見が含まれているため、一般的でない思考の一部を明確に表現することはできない。人間は常に言葉を使って考える。そして、考えるという行為は常識的な形而上学的推論（現実的な考察）を伴う。したがって、真の意味で考えるためには、この言語に逆らった言葉で考えなければならない。すなわち、抽象的な自由を行使する必要があるのだ。

抽象的な自由が、これよりもはるかに非道な形で介入せざるを得ない危機も存在する。一九四四年十二月、ジャン＝ポール・サルトルはこう書いている。

ドイツの占領下にあったときほど、われわれが自由だったことはない。当時、われわれはすべての権利を失った。まず、発言する権利を失った。彼らは面と向かってわれわれを侮辱した……だからこそ、レジスタンスは真の民主主義なのだ。規律の範囲内で、兵士は上官と同じ危険、同じ孤独、同じ責任、同じきまったき自由を享受するのだから。★30

不安と危険に満ちたこの状況は、具体的な自由(リバティ)ではなく抽象的な自由(フリーダム)である。具体的自由(リバティ)は、戦後、以前と同じ正常な状態が戻ったときに確立された。つまり、今日のウクライナでは、ロシア軍の侵攻と戦う人々は抽象的な自由(フリーダム)を手に、具体的な自由(リバティ)を勝ち得ようと戦っているのだ。しかし、この状況でもなお、ふたつを明確に区別できるだろうか？　数百万人の人々が、自らの自由(リバティ)を守るために自分たちの望むように行動し(規則を破ら)なければならないと考える状況に、刻一刻と近づきつつあるのではないか？　これこそが、二〇二一年一月六日、トランプ派の暴徒が国会議事堂を襲った理由ではなかったのか。

われわれはどこでどう間違い、これほどまでに滅茶苦茶な状況に陥ってしまったのだろう？　現在われわれが暮らす世界は、それを表す適切な言葉をいまだに見つけられないほど奇妙だ。哲学者のカトリーヌ・マラブー[★31]は、仮想通貨をグローバル資本主義体制の「アナーキスト的転回」の兆候と捉え、「通貨の分散化、国家による独占の終わり、銀行の担う仲介的役割の縮小、交易・商取引の分散といった現象が、それ以外にどう説明がつくというのか？」と論じている。

これは一見、好ましい現象に聞こえるが、マラブーが即座に指摘しているように、「極端な資本主義に新たな意味合いをもたらすアナーキズムの意味論は、利益の論理を何ひとつ変えることはない。極端な資本主義では利益の論理は別の形をとるからである」と指摘している。国家独占が徐々に消失していくにつれ、容赦ない搾取や支配に対して国家が課す制限もなくなる。そして、外部の権威による支配を受けない新たな自由領域としての仮想通貨という本来の構想は、マラブーが「苛酷な垂直性（savage verticality）と制御できない水平性（uncontrollable horizontality）の、不合理であると同時に恐ろしい前代未聞の組み合わせ」と呼ぶものになり果てる。今日の無政府資本主義（注：アナルコ・キャピタリズム。右派リバタリアンによる政治思想で、自由市場の自治を重視し、国家の廃止を提唱する）は透明化を図ってはいるものの、この透明化が「同時に、大規模ではあるが曖昧なデータ使用、ダークウェブ、情報捏造《ねつぞう》を正当化する」という逆説を作りだす。

こうした混乱状態に陥るのを回避するため、苛酷な垂直性はまた、今日多くの国で見られるような保安面および軍事面の過剰強化といった権威主義体制（ファシズム）として現れる。この傾向はアナーキズムに向かう流れとは矛盾せず、むしろ国家の消失そのものを示唆している。そして、国家からひとたび社会的機能が取り除かれると、その勢力の衰微が暴力行使を通じて示される。ゆえにウルトラナショナリズム（超国家主義）は、国家権力の断末魔の予兆なのだ。

「統一ヨーロッパ」という概念への反発が示す事実

ウクライナでわれわれが直面しているのは、ひとつの民族国家による別の民族国家への攻撃ではない。ウクライナは侵略者によって存在そのものを否定され、国ですらないと主張されているばかりか、その政府はヤク中のネオナチ集団と糾弾されている。ロシアは地政学的「勢力圏」という表現を使うことで、自分たちの侵略を正当化している。この勢力圏はしばしば、国境のはるか先まで及ぶ（台湾の平和を維持すると称して、南シナ海で勢力圏を確保しようとしている中国も、同じ兆候を見せている）。ロシアがウクライナへの軍事介入に

「戦争」という単語を使わないのは、そのためだ。これは、介入の残虐さを軽く見せるだけでなく、何よりも、民族国家間の軍事衝突という古い意味での戦争という言葉がもはやウクライナ侵攻にはあてはまらないことを明確にするためである。ロシアは、自らの地政学的勢力圏とみなしている地域の「平和」を確保しようとしているにすぎないのだ。そして、そうした「平和維持」が、今後ウクライナを超えた地域に及ぶことはじゅうぶんありうる。

二〇二二年三月、ボスニア駐在のロシア大使であるイゴール・カラブコフは、この「平和維持」をさらに一歩進めた。ボスニアには、NATOに加わるか否かを決める権利があるが、ロシア政府もまた、「自らの利益に従い、そうした可能性に対処する」権利があると発言し、こう続けた。「(ボスニアが)何らかの同盟への加盟を決断するとしても、それは国内の問題だ。われわれの対処はそれとは別問題である。ウクライナの例を見れば、われわれがどういう事態を想定しているのかがわかるだろう。脅威が生じれば、それがどのようなものであれ、われわれは対処せねばならない[★32]」と。

ウクライナに言及したことで、彼はこの「対処」が何を意味するかをあからさまに仄めかした。ロシアの外務大臣セルゲイ・ラブロフは、NATOは一九九七年以降に加わった全加盟国から撤退すべきだと主張し、[33]ヨーロッパ全土を非軍事化することが最大の解決策だと示唆した。[34]要するに、軍隊を有するロシアがときどき人道的介入を行って平和を保つ、というわけだ。二〇二三年三月、ドミトリー・メドヴェージェフも同様の発言を行っている。「ウクライナの恒久的な平和を確実にする唯一の方法は、敵意のある国々との国境を、必要とあればポーランドまで押し広げることだ」[35]と。似たような意見が、ロシア人ジャーナリストのあいだでもしばしば見られる。政治解説者で世論形成者のドミトリー・エヴスタフィエフは、チェコの報道機関のインタビューでこう語った。

新生ロシアは、きみたち、つまりヨーロッパをパートナーとはみなしていないことをはっきり示している。ロシアのパートナーは、アメリカ、中国、インドの三か国だ。ヨーロッパは、われわれロシア人とアメリカ人とのあいだで分配される戦利品なのだ。きみたちはまだ気づいていないが、それが着々と実現に近づきつつある。[36]

エヴスタフィエフは、反植民地主義の左派から右派ポピュリストまで政治スペクトル全体にわたり多くの人々を悩ませる「ヨーロッパ中心主義」反対という古くからのスローガンどおり、あからさまにヨーロッパを四大強国のリストから除外した。統一されたヨーロッパという概念へのこの反感は、実に興味深い。かつての帝政ヨーロッパに対する正当な批判はともかく、ヨーロッパが憎しみと嫉妬の対象になっている理由はおそらく、多くの人々の目にいまでも「ヨーロッパ」が真に平和的な国家間の協力、個人の自由、福祉国家の象徴として映っているという事実ゆえなのである。

したがって、ウクライナ政府がヨーロッパに加わりたいと繰り返し主張するとき、われわれは、彼らが「ヨーロッパ」のなかに何を見ているのか、そしてわれわれにはその期待に応える準備があるのかと問いかけねばならない。どの見方をするにせよ、ヨーロッパはある種の社会民主主義を象徴している。オルバーン・ヴィクトル(注:ハンガリーの首相)が最近のインタビューで大胆にも、西洋の自由主義的な覇権が「徐々にマルクス主義になりつつある」と主張した理由もそこにある。

キリスト教民主主義陣営に対抗するさい、われわれは遅かれ早かれ、自由主義的なイデオロギーを支持するグループではなく、自由主義の名残を持つとはいえ本質的にはマルクス主義のグループを相手にしているという事実に向き合わねばならない。今日、アメリカで起こっているのがそれだ。いまのところ、保守派はマルクス主義の自由主義陣営に対して不利な状況にある。[★37]

これが、今日「反ヨーロッパ中心主義」という言葉の意味するところだ。

二〇二二年三月一日の午後、欧州議会へのビデオ演説で、ゼレンスキーはこう述べた。「ウクライナは、ヨーロッパのために死ぬ覚悟があります。さて、ヨーロッパはウクライナのために死ぬ覚悟があるのでしょうか」。彼がこの発言を口にした瞬間、ヨーロッパの急進右派(それまでは、ロシアの介入に同情的だった)のほぼすべてが、ウクライナの味方についた。イタリアのサルヴィーニ、フランスのル・ペンらは大慌てでUターンし、難民受け入れの完全なる支援とウクライナへの武器送付を約束した。なぜか? ある解説者が言ったように、「祖国のために死ぬことは常に国家主義者の夢だが、自分が死んでもいいと思っているわけではない。彼らは、自分たちの栄華のために、ほかの誰かを死に送りこむ。それこそが、彼らの夢なのだ[★38]」。

生活環境への脅威ではなく戦争への脅威しかわれわれを突き動かすことができないとしたら、勝ったときに手にする自由(リバティ)には、それを目指して生きる価値などないのかもしれない。われわれはどちらを選んでもさらに状況が悪化するという、難しい選択に直面しているようだ。平和維持という名のもとに妥協すれば、ヨーロッパ全土の「非軍事化」でしか満たすことのできないロシアの拡張主義への渇望を容認することになる。かといって、全面的な軍事対決を支持すれば、新たな世界大戦に突入する危険が倍増する。この難しいジレンマの唯一かつ真の解決策は、状況の捉え方そのものを変えることだ。

「文明の衝突」という概念に疑問を投げかけろ

問題は、グローバルな自由主義・資本主義体制が多くの面で危機に瀕《ひん》しているのが明らかであるにもかかわらず、ウクライナで行われている戦争が野蛮な全体主義国家と自由な西側文明諸国との闘争だと再び誤って単純化され、地球温暖化や様々な環境問題から人々の注意を逸らしていることだ。新たな戦争は気候変動をはじめとするグローバルな問題をまったく無視して行われているが、この戦争自体がそうした問題に対する反応であり、戦争という歪んだ「正常性」への回帰であるとさえ言えるかもしれない。つまり、来るべき数々の困難を他国より上手に切り抜けるために強者の立場を確保しよう、というわけだ。

したがって、いまは物事の実態や基本的な敵対関係が明らかになる真実の瞬間ではなく、底深い嘘の瞬間である。ウクライナへの確固とした支援は当然続けるべきではあるが、大規模な戦争が起こる可能性に魅入られてはならない。ロシアとの全面対決を引き起こそうとする連中にとっては、新たな戦争が起こる可能性は実際に存在する。彼らの意見を要約すると、「ついに、われわれを分裂させている女性の権利擁護や反人種差別主義といった偽の闘争が終わり、資本主義の危機に関するくだらない議論が脇に押しやられ、男たちが再び男らしく戦うときがやってきた。女子どもがウクライナを逃げだす一方で、男たちが使命を果たすべく祖国ウクライナに戻っているのはそのためだ！」となる。

欧米諸国におけるウクライナ報道で、広範囲にわたって人種差別的発言が見受けられることは疑いようがない。侵略が始まった最初の週、ＣＢＳニュース記者のチャーリー・ダガタは、ウクライナは「こう言ってはなんだが、イラクやアフガニスタンのように何十年も紛争が行われてきた国ではない。比較的文明化された、ヨーロッパ的な——私も注意深く言葉を選ばなくては——都市であり、こんな事態が起こるとは予測も望みもしていなかった場所なのです」と報じた。ウクライナの元検事総長は、ＢＢＣの記者に「青い目でブロンドのヨーロッパ人が……毎日殺されているのを見るのは、つらくてたまらない」と語った。フランス人ジャーナリストのフィリップ・コルベも「プーチンが援助するシリア政権の爆撃から逃げだすシリア人とは違い、われわれが乗っているのと同じような車で命からがら逃げるヨーロッパ人の話をしているのです」[39]と発言している。

これらのコメントに含まれたあからさまな人種差別主義はさておき、こうした紛争が起こった責任がわれわれ西欧諸国にもあることを彼らが一様に忘れている点は非常に興味深い。今日、アフガニスタンは実質的にイスラム過激主義の国となっているが、四十年前は、宗教とは関係のない堅固な伝統を持つ国であったこと、ところがまずソ連が、次いでアメリカが介入したことにより、現在のような状態となってしまったことを、ほとんどの人々は忘れてしまったようだ。

こうした人種差別は、奇妙にも、ロシア正教会の最高指導者であるキリル総主教の民族的優越感と共通している。彼はしばしば軍事指導者に対して助言するばかりか、「祖国防衛者の日」に敬意を表する声明さえ発表した。総主教は「ロシア国民に高潔かつ責任感を持って仕える」プーチンを称賛してから、ロシア正教会は「常に、同胞の愛国教育のために多大なる貢献をしてきた」と宣言し、軍務は「隣人へのキリスト教的愛の積極的な現れ」であると称えた。[40]われわれが「ヨーロッパを守る」ことだけを求めるならば、すでにプーチンと同じ言葉で喋っていることになる。文明と蛮行とを区別する境界線が文明の内部にあるからこそ、われわれの闘いは世界共通なのだ。今日、世界で唯一共通しているのは、闘いの普遍性である。ウクライナ戦争は完全なる支援に値するが、その一方で、独立した新しい動きが必要だ。われわれは、いま起こっている戦争に対して中立の立場をとるのではなく、「文明の衝突」という概念そのものに疑問を投げかけるべきなのだ。

サミュエル・ハンティントンによると、冷戦終結後、「イデオロギーの鉄のカーテン」は、ヨーロッパを分断する最も重要な境界線である「文化のベルベットのカーテン」に置き換わった。ハンティントンの論じた迫りくる『文明の衝突』という暗い見通しは、フランシス・フクヤマが『歴史の終わり』で提唱したグローバルな自由民主主義による楽観的な展望とは真逆のように思える。なぜなら、実現しうる最高の政治制度の最終形態は資本主義・自由民主主義であるというフクヤマのヘーゲル的概念から、競合国間の政治闘争ほどかけ離れているものはないからだ。

ならば、このふたつの概念はどのように調和するのか？　今日の経験からすると、答えは明らかだ。「文明の衝突」とは、「歴史の終わり」に現れる政治なのだ。アイデンティティを要因とする現在の民族的および宗教的対立は、今日のグローバル資本主義に最も適合した形の闘争である。「政治後」の時代、つまり本来の政治が専門的な社会行政に急速に取って代わられつつあるいま、紛争を引き起こす要因として残っているのは文化（民族、宗教）的な緊張のみである。近年の「非合理的な」暴力の増加は、われわれの社会の非政治化と緊密な相関関係にある。こうした限界のなかで戦争に代わる唯一の選択肢は、（ドゥーギンの言う別の「真実」、あるいは今日一般的に使われる表現によれば、異なる「生き方」を持つ）文明の平和的な共存だ。この共存状態においては、強制結婚や同性愛嫌悪（あるいは、公の場所にひとりでいる女性がレイプを望んでいるとみなす概念）は、それ以外の面で完全に世界の市場に統合されている別の国で起こっているかぎり許容される。

これは今日の非同盟主義の意味するところではない。非同盟主義は、われわれの闘いや葛藤を世界共通のものとして捉えるべきであることを意味する。いかなる犠牲を払ってもロシア嫌悪を避け、ロシア国内でウクライナ侵攻に抗議する国民をできうるかぎり支援しなければならないのはそのためだ。世界の労働者階級が国際的な連帯・団結を強めるべきだという考えを示す国際主義者の彼らこそが、真にロシアを愛する人々なのだ。愛国者、つまり自国を心から愛する人物とは、自国がひどい行いをしたときにそれを心から恥じる者のことを言う。「正しかろうが間違っていようが、私の国だ」という考え方ほど恥ずべきものはない。

第三章　黙示録の五番目の騎士

宗教化した「軍事作戦」に対抗する

真にグローバルな連帯には、西側の非宗教的な自由主義に制限されるべきではないという意味合いも含まれる。実際のところ、これはどういうことか？　二〇二二年三月後半、ロシアで最も読まれている日刊タブロイド紙、モスコフスキー・コムソモーレッツ紙にロシアの政治思想家アレクサンドル・ドゥーギンの長いインタビューが掲載された。そのなかでドゥーギンは、プーチンが彼の著作を読むかと尋ねられ、「私たちは、ロシアの歴史という空に金色の文字で書かれた同じ言葉を読んでいると思う」と答え、その金色の文字で刻まれた文章の一部を引用している。

　私たちは終末論的な軍事作戦、この世の終わりにおける光と闇の特別作戦を遂行している。真実と神は私たちの味方だ。私たちは西洋文明とその自由主義・全体主義の覇権、ウクライナのナチズムが体現する絶対悪と戦っているのだ。★41

明白な理由から、私は「空に書かれた金色の文字」を読む人々を信用していないが、この引用文にはほかにも注目に値する部分があることを指摘したい。西側の自由主義からナチズムへの飛躍はとりわけ興味深い。「自由主義・全体主義の覇権」という言い回しは、ナチの使っていた「ユダヤ人とボリシェヴィキの陰謀」という表現に匹敵する。さらに、なぜ敵は「ウクライナのナチズム」なのか？　その理由は、プーチンが、ロシア革命ではなく第二次世界大戦中のソ連の勝利（そのために二千五百万人の死という多大な犠牲を払った）がロシアの偉大さを示す新たな神話だと主張したからだ。これもまた様々な軍事パレードでスターリンの肖像画が掲げられる理由のひとつである。彼は共産主義者としてではなく、最高司令官として称えられているのだ。しかし、今日の敵は西側の自由主義であるから、自由主義が最終的にナチズムに行きつくように見せねばならない。

それだけではない。引用された節には、さらにふたつの重要な点が認められる。ひとつは軍と宗教の繋がりである。ロシアの「軍事作戦」は、たんなる歴史的な出来事ではなく、神学的な表現、つまり真実なる神と絶対悪との戦いという終末時に起こる宗教的事象として明確に特徴づけられている。最も過激なイスラム原理主義者たちでさえ、この種の表現は使わない。次に、ドゥーギンのこの発言は、「すべてのいわゆる真実は、信じることにある。したがって、われわれは自分のすることを信じ、自分の言うことを信じる。それが真実を定義する唯一の方法なのだ。われわれには西側諸国が受け入れるべき特別なロシアの真実がある」[42]という自らのポストモダン的相対主義と矛盾している。引用元のインタビューで、ドゥーギンはそれまで語ってきた「ロシアの真実」対「ヨーロッパの真実」ではなく、「光」対「闇」、「神」対「絶対悪」について語っている。

このような軍事化された宗教に、異なる生き方に対して寛容であれとする、平和で一般的かつ非宗教的な自由主義にしがみつくだけで対抗することができるのだろうか？ 事実上すでに緊急事態に陥った現在の状況では、行動を起こすことが切実に必要とされている。加えて、こうした宗教的表現がネオファシストに悪用されるのを許しておくことはできない。二〇二二年四月の終わり頃、世界中の人々が、ウクライナでの戦争の展開に大きな変化を感じとった。即時解決という希望が砕かれ、戦争が奇妙に「平常化」されて、当分続く暮らしの一部として受け入れられたのである。そして、この戦争が大規模な対立に発展するのではないかという恐怖が、日常生活にも影響を及ぼしはじめた。スウェーデンにいる友人の話では、政府の指示により、各世帯が戦時状況でも生き延びられる量の物資（食糧や医薬品など）を備蓄しているという。

ロシアはこれがグローバルな対立だという見解を、日を追うごとに明確に語っている。その見解によれば、ヨーロッパはナチに転向しつつあり、ウクライナでの戦争は事実上、第三次世界大戦の始まりなのだ。ロシア・トゥデイ紙の編集長、マルガリータ・シモニャンは、「われわれがウクライナに負けるか、第三次世界大戦に突入するかのどちらかです。個人的には、第三次世界大戦のほうがありえると思います[43]」と述べた。ロシアの様々なテレビ局が、盛んにウクライナに増援部隊を送り、「NATOと戦おう」と呼びかけているのも無理はない。特殊部隊の退役軍人、アレクサンドル・アルチュノフは、プーチンに直接こう尋ねた。「親愛なるウラジーミル・ウラジーミロヴィチ、どうか決断してください。われわれは戦争をしているのですか、それとも、自慰行為を行っているのですか？　この虚しい自慰行為はやめなければなりません[44]」と（ここでも、性的なたとえが登場する。ロシアのプロパガンダには、自慰はもうたくさん、実際にウクライナをレイプしようなどといった、野卑な比喩が頻繁に使われている）。こうしてわれわれは、自由主義・全体主義、ナチス・ユダヤが融合した策略という、常軌を逸したロシアのビジョンに向かってひた走っているのだ。

侵攻開始の数か月後、イタリアのテレビ番組「ゾナ・ビアンカ」のインタビューを受けたセルゲイ・ラブロフは、ゼレンスキー自身がユダヤ人なのに、ロシアはどうすればウクライナを「非ナチ化する」ために戦っているなどと主張できるのかと尋ねられ、こう答えた。「私が間違っているかもしれないが、ヒトラーにもユダヤの血が入っていた。（ゼレンスキーがユダヤ人だという事実は）何の意味もなさない。賢明なユダヤ人たちは、最も熱烈な反ユダヤ主義者はたいていユダヤ人だと述べている」★45と（ちなみに、「賢明なユダヤ人たち」とは誰を指しているのか？ 私が知っているのは、イスラエルのヨルダン川西岸《ウエストバンク》政策に批判的な目を向けるユダヤ人を「自己嫌悪的」だと非難する熱狂的なシオニストたちだけだ……）。

ウクライナの奮闘を持て余す西側諸国

とはいえ、ロシアは欧州を解体しようとしているだけではない。彼らはウクライナへの攻撃を非植民地化作戦と称し、西側の新植民地主義《ネオ＝コロニアリズム》（注：第二次世界大戦後に独立を達成した旧植民地地域に対し、経済援助などを通じて従来の支配・従属関係を維持しようとする動き）に立ち向かう第三世界の味方としての地位を確立する戦略を進めているのだ。★46ロシアのプロパガンダは、西側がアフリカ諸国やアジア、中東でいかに支配権を行使したかという苦い記憶をうまく利用している。イラクへの爆撃のほうが、キーウへの爆撃よりもましだとでも言うつもりか、と。そして、世界規模の非植民地化を果たす執行者を自称すると同時に、シリアや中央アフリカ共和国などの独裁者たちへ目立たぬように（時には公然と）軍事支援をしている。さらに、原油や天然ガスの購入にロシア通貨ルーブルでの支払いを求める方針の裏には、アメリカドルとユーロを世界の主要通貨から蹴落とそうという、中国と共謀した大規模な企《たくら》みが隠されている。

こうした戦略がいかに効率的かを見くびってはならない。ヨーロッパを守るというウクライナの誇り高い宣言に対し、ロシアは、われわれは過去および現在ヨーロッパの犠牲となっている人々をすべて守ると答える。セルビアでは、このプロパガンダ・キャンペーンが功を奏しはじめている。直近の世論調査によると、現在、投票者の六十パーセント以上が自国のヨーロッパ連合加入に反対しているという。

このイデオロギー闘争に勝利する好機をつかみたければ、ヨーロッパは自由主義・資本主義に基づいたグローバリゼーション・モデルを根本から変える必要がある。それしか方法はない。ヨーロッパがこれに失敗すれば、島（実際は、「要塞」）として生き延びることはできるかもしれないが、やがて周囲の敵にじわじわと侵攻されるだろう。ロシアのウクライナ侵攻直後、「自由主義には国家が必要である（Liberalism Needs the Nation）」[★47]と題されたオプ・エド（注：当該メディアの編集権の中にいない外部の人物が、ある新聞記事に対して同じ新聞内で意見や見解・反論・異論を述べる記事・寄稿）で、フランシス・フクヤマは、愛国主義に基づく自国防衛が自由主義の防衛としても機能しうると指摘した。それが防衛として機能するかどうかは、各「国家」がどの価値観を掲げるかにかかっている、と。この百年のあいだに、急進左派の愛国主義者たちが自国を外国の支配から守ろうと奮闘した例は、数えきれないほどあったのではないか。

一方で、西欧、とくにドイツでは、新たな平和主義が生まれた。高潔ぶった美辞麗句を抜きにすると、新たな平和主義者が言わんとしていることは、おおまかに次のようにまとめられる。自国の経済的利益、さらにウクライナへの過剰な支援を表明することで軍事紛争に巻きこまれる危険を考慮すると、ウクライナがロシアに取りこまれることを許容すべきであり、この戦争への対策は平和的な抗議活動や同情を示す程度に留めておくべきだ、と。この「過剰な」が表しているのは、ウクライナに対する西側の同情によってロシアが一線を越え、怒りを爆発させることへの恐れだ。しかし、プーチンはこの一線を何度も引き直している。われわれが抱くこの恐怖心を刺激することこそが、プーチンの狙いなのだ。新たな世界大戦の勃発を防ぐべきだという案には私も賛成だが、用心しすぎては、こちらの躊躇《ちゅうちょ》をあてにしている侵略者をいっそう焚《た》きつけるはめになりかねない。だからこそ、われわれ自身も全面戦争を防ぐために一線を引く覚悟を持たねばならないのだ。プーチンがウクライナへの介入を発表したあと、バイデンが最初に示した反応を思い出してほしい。それがドンバス地域に限られた占領なのか、ウクライナへの全面侵攻なのかをまず見極めねばならない、バイデンはそう言った。これは賢明な戦略とはとうてい言えない。なぜなら、バイデンはこの発言によって、限られた介入なら許容するという合図を送ってしまったからである。

しかし、この弱気な対応の裏には、より悲しい見解が潜んでいる。平和主義を掲げるヨーロッパ左派は、英雄的な軍人魂を復活させてはいけないと警告を発し、ユルゲン・ハーバーマスはウクライナが道徳的にヨーロッパを脅迫しているとさえ言ってのけた。[★48]ほかの点では熟慮されているハーバーマスのこの反応には、非常にメランコリックなところがある。第二次世界大戦後、ヨーロッパが軍事主義を放棄できたのは、アメリカの「核の傘」のもとで安全が保障されていたからであり、ロシアのウクライナ侵攻によってその時代が終わったことも、無条件の平和主義を保つには妥協に次ぐ妥協が避けられないことも、ハーバーマスはわかっているのだ。ヨーロッパのかつての自由平和主義とその無関心は時間切れを迎えつつあり、残念ながら、軍事的な脅威に対してだけでなく、差し迫った生態系の破壊や疫病、飢饉に対処するために「英雄的」行為が再び必要とされるだろう。また、この非常に不安定な現状のなかで、われわれの姿勢の曖昧さが浮き彫りになっている。

フランス語では、口で言う恐れと本当の恐れとの相違は、いわゆるヌ・エクスプレティフ(ne explétif)、つまり、それ自体に意味はないが構文や発音のために使われる「否定語(〜ない)」によって表される(私の母語であるスロヴェニア語を含め、いくつかの言語にもこの否定語が存在する)。たいていの場合、ヌ・エクスプレティフは否定的な意味を持つ動詞(恐れる、避ける、疑う)に続く従属節で使われ、その前に述べられた否定的な事柄を強調する。たとえば、「彼女は、彼が来ないのではないかと疑っている」とか、「私に嘘をつかないかぎり、きみを信用する」というように。[★49] ジャック・ラカンは、願望と欲望の違いを説明するのに、このヌ・エクスプレティフを使う。私が「嵐は来ないのではないかと思う」と言うとき、嵐が怖いから、意識的にはそれが来ないことを願っているが、本当の望みは「ではない」というふたつ目の否定語に表れていて、実際は嵐が「来ない」ことを恐れている。心の奥底では嵐の荒々しさに魅了されていて、それを欲しているのである。

西欧のウクライナに対する姿勢にも、これとまったく同じことが言えるのではないだろうか。侵攻開始後の最初の数週間、われわれはウクライナがすぐさま制圧されることを恐れていた——が、いまとなっては、真に恐れていたのは、その反対の事態、つまり、ウクライナが即座に敗北せず、戦争が延々と続くことであったと認めざるを得ない。われわれはウクライナがあっという間に瓦解したのち、適切な怒りを表明し、損失を嘆き悲しみ……それまでと変わらない暮らしを続けられることをひそかに望んでいたのだ。小規模国家が、残虐な侵略に意外にも果敢に抵抗している。これは本来であれば素晴らしいことだが、実際のところ、われわれはウクライナの奮闘を持て余し、その知らせを恥じるかのような感情を抱いているのだ。

平和主義の大きな限界

同様に、われわれはロシアからの天然ガス供給が途絶えることによる経済的な大打撃を恐れてもいた。しかし、この恐怖が実は偽物で、われわれが本当に恐れていたのは、ガス供給が途絶えることが大打撃とならない可能性だったとしたら（実際に大打撃にはならなかった）[★50]、どうだろうか。実際は、すぐにその事態に適応することを恐れていたのだとしたら？（戦争から一年経ったいま、実質的にわれわれは現状に適応している）。ロシアからのガス輸入が突然途絶えても、それがきっかけで資本主義の終焉が訪れることはなかっただろうが、われわれは「ヨーロッパ的な」暮らし方を大きく変えざるを得なかったにちがいない。

この変化はロシアを封じこめる目的とは関係なく、大いに歓迎できるものだ。ヌ・エクスプレティフを文字通り解釈し、この「〜ない」という部分に基づいて行動を起こすことはおそらく、今日、自由を求めるうえで重要な政治活動となる。なぜなら、カート・ヴォネガットが書いたように、代わりの選択肢は、「費用対効果が悪いという理由で自らを救わなかった初めての社会として歴史に刻まれる」ことなのだから。

ウクライナが各国政府から数十億もの資金を確保しているという報道が次々に取りあげられているが、ロシアはヨーロッパへのガス供給から(少なくとも戦争の最初の数か月間は)その何倍もの利益を得ていた。ドイツで企業や組合が、ロシアからのガス購入ボイコットに共同で反対したのは不思議でもなんでもない。ヨーロッパはこのとき、ロシアへの非軍事的な圧力と、地球環境を救うための意義深い行動とを組み合わせる珍しい機会を逃したのだ。言うまでもなく、ロシアの天然ガスを放棄すれば、われわれが今日切実に必要とする、西側の自由資本主義ともロシア＝中国の権威主義とも異なる新しいグローバリゼーション実現の道が切り開かれるだろう。

平和主義の姿勢には、ロシアの侵攻の標的がウクライナだけでなく、西側の自由民主主義体制全体であるという明らかな事実を考慮に入れていない点で大きな限界がある。要するに、われわれはすでに、ウクライナにおけるロシアの攻撃をどう封じこめるべきか、というハーバーマスが重視してきた問題をはるかに超えた段階に突入しているのだ。ロシアは自分たちが思い描くイメージに沿って世界を再構築しようと企んでいる。かつてのプーチンの盟友で、ロシアの傭兵集団ワグネル・グループの創設者であるエフゲニー・プリゴジン（注：二〇二三年八月、自家用機の墜落により死亡したとされる）は、ガーディアン紙のジャーナリストにこう語った。「きみたちは、ロシア人、マリ人、中央アフリカ人、キューバ人、ニカラグア人をはじめとする多くの人々や国々を第三世界のクズだとみなす、死にゆく西洋文明だ。絶滅の危機に瀕した哀れな変態だよ。われわれは何十億といる。勝利はわれわれのものだ！」[★51]。ワグネル・グループの活動を見れば、ロシアが提唱する新たなグローバリゼーションがどのようなものかは一目瞭然だ。すなわち、ロシアの傭兵が各地域の独裁主義体制を支援する世界である。

ヨハネの四騎士——疫病・戦争・飢餓・死、そして五番目の騎士

平和主義の姿勢を否定し、ロシアのガスをボイコットするといった急進的かつ広範囲にわたる政策の支持を選ぶことが何を意味するか、私はよく承知している。このような対策をとれば、私が「戦時共産主義」と呼んできた状況へと近づくことになるだろう。それに

したがい、戦時状況あるいはより大規模な災害に対処するため、経済と政治的措置を再組織する必要に迫られるにちがいない。

この兆候の断片は、すでに表れている。二〇二二年四月、イギリスでは、食用油はひとり最大ふたつまでしか買えないという制限が課された。二〇二三年二月、イギリスのスーパーマーケットは再び購入数量の制限を始めた。このとき制限されたのは生のフルーツと野菜だった。悪天候によるアフリカ北部の不作と、エネルギー価格高騰の影響を受けた欧州本土の農業生産者からの供給が減少したためである。[★52] 戦争が長引くにつれ、われわれが生き延びるためには、おそらくさらに多くの同種の措置が必須になるだろう。だが、ロシアはまさに、断固とした行動をなかなかとろうとしないヨーロッパのこうした惰性と無能をあてにしているのだ。

たしかにいまは、軍産複合体が多大な利潤を得る絶好の機会、つまり堕落の大きな危険があるのだが、これは戦争にかぎったことではない。独りよがりな消費者快楽主義と対比して、真正の経験としての戦争を美化する誘惑を退けるべきだという考えには賛成だが、この独善に対する答えは、軍事紛争をはるかに超える大義を目指すための総力を挙げた行動でなければならない。今日、人類が直面している危機を考えれば、軍事活動に情熱を傾けることは、近づきつつある破滅からの弱気な逃避にすぎない。
人類が直面している複数の危機と世界の終末という展望は、恐ろしいことに、疫病、戦争、飢餓、死というヨハネの黙示録の四騎士[*53]を連想させる。この四騎士を、悪の擬人化であるとあっさり片付けることはできない。トレバー・ハンコック（注：公衆衛生学者、カナダ緑の党初代党首）は、それらが「自然界の生物個体数増加を抑制する、生態系の四騎士とも呼ばれる四つの要素に酷似している」と指摘している。そしてチャールズ・エルトン（注：英国の動物学者）に言及し、「四騎士」が生物数の過剰増加を防ぐために積極的な役割を果たしていると推定した。すなわち、「捕食者、病原菌、寄生虫、食料供給によって、生物数の増加が抑えられる」と。問題は、長期的な目で見ると、この抑制機能が人類にはうまく働かないように見えることだ。

一九五〇年以降の七十年間で、地球の人口は二十五億人から七十八億人と、三倍以上に膨れあがった。エルトンが唱えた生態系の四騎士に何が起こったのか？ なぜ人口は抑制されていないのか？ それとも、レミング（注：周期的に大増殖と激減を繰り返す）のように、ある時点で人口を激減させる五番目の騎士が存在するのだろうか？

近年まで、人類は医療、科学、テクノロジーによって四騎士を抑制できていた。しかしいま、われわれはある要素に脅かされている。その要素とは——

われわれが引き起こした、大規模かつ急速な地球規模の生態系における変化である。つまり、小惑星の衝突あるいは超大規模な火山噴火による絶滅の可能性はもちろん存在するが、人口における最大の脅威、つまり「五番目の騎士」は、われわれ自身なのだ。[★54]

要するに、われわれ——人類——はいま、重大な決断に直面している。破滅の要因を自ら作りだすのか、それともその破滅から自身を救うのか。この脅威は世界中で認識されつつあるが、適切な行動はなされていない。

そしてその間もずっと、ほかの四騎士がわれわれの目前に急速に迫っている。その四騎士とは——

疫病：疫病は再び、人類の生活の一部になった。二〇一九年末の新型コロナウイルス出現により、われわれの生活は永遠に変わった。新型コロナウイルスの流行はいまなお続いており、新たな波だけでなく、別のウイルスの世界的大流行も予測される。

戦争：ロシアがウクライナを侵略したことにより、ヨーロッパ本土で実際に戦いが起こっている。われわれは、誰ひとり遠く離れた安全な場所から戦いを見物することはできないと思い知らされた。ある種の休戦を実現できたとしても、すでに戦いはわれわれの日常生活の一部となり、平和は一時的な例外であることが示されたのだ。どちらに転んでも、第三次世界大戦の兆しが見えている。侵略者に立ち向かう強さも必要だが、それよりもグローバル体制そのものを根本的に変えなくてはならない。われわれが目にしてきたように、いま状況は予測不可能な状態にある。新たな地球規模の戦争が起これば、それは結果的に、必然だったように見えるだろう。したがって、（自己破滅に向かう傾向にある）歴史の動向に逆らって行動すべきだと心に留めておかねばならない。ここでひとつ、ささやかな提案がある――核兵器を使う準備があると公言する者はみな、下劣な異常者として扱うとしよう。

飢餓：飢餓が起こる兆しもすでに現れている。ウクライナの戦争は、第二次世界大戦以来最大の世界的食糧難を引き起こし、貧困問題を抱える国々で食糧をめぐる暴動が起こりうると専門家が警鐘を鳴らしている。[55] さらに地球温暖化によるインドやパキスタンでの熱波が「人間の生存性の限界を試して」いるばかりか、大規模な農作物被害をもたらしている。[56] われわれは、地球規模の飢餓が引き起こす大量移住や暴動に対する備えを進めているだろうか？

死：死は常に生の一部だ。と言うと、ポーランド映画のポスターに書かれた「人生は死に至る性感染症だ」という深淵な真実を伝える表現が思い浮かぶのだが、ここで私が「死が四番目の騎士である」と言うのは、もっと根本的な意味である。つまり、ほかの三騎士による大量の死に加えて、日々の生活をデジタル化することによって人々の思考をコントロールする最近の風潮――とりわけ「繋がれた脳」（デジタル機器と思考の直接結合）が引き起こす「ふたつ目の死」である。それが実現した場合、われわれはまだ人間であり続けるのだろうか。また、どの程度人間性に影響が出るのか？

これらの脅威に対し、われわれは何ができるのだろう？　中国のネット上で使われるダジャレをもとにしたインターネット・ミーム、草泥馬（カオニマ）は、「母親をファックしろ」という意味の標準中国語「cao ni ma」のもじりだ。カオニマは、中国のネットユーザーが用いる「抵抗論議」の代表的な手段であるばかりか、国内で自由な表現を求める彼らの戦いを象徴する幸運のお守りとして、詩や写真、ビデオ、アートワークやファッションなどに幅広く影響を与えている。その結果カオニマは、「e'gao」として知られる、なりすましや嘲笑《ちょうしょう》、ダジャレやパロディ、ビデオ・マッシュアップや、その他のブリコラージュを含む、より幅広い中国ネット文化のひとつとなっている。★57

この例から、確立された言語規則に従う具体的な自由もまた、言語のなかで効力を発揮するためには、折に触れて抽象的な自由（こうした規則で自由に遊ぶこと）が必要なのだとわかる。実世界のグローバルな連帯は、他人を尊敬する純粋主義者の夢とはほど遠く、嘲り《あざけ》やダジャレなしでは生き延びることができないのだ。

第四章 「サファリ」的な主観性

住民を狙撃する機会を買った「狩猟者」たち

自国の文化作品について書くことは好まないが、ミラン・ズパニッチのドキュメンタリー映画、『サラエボ・サファリ』（二〇二二年、スロヴェニア）は例外としなければならない。この映画では一九九二年から一九九六年までのサラエボ占領中に起きた、このうえなく奇妙かつ病的な出来事が描かれている。

ボスニア・ヘルツェゴビナの首都サラエボを包囲したセルビア人勢力が、占拠した丘から眼下の通りを行き交う住民を無作為に撃ち殺していたことはよく知られている。また、狙撃するために招かれたセルビアの特別な同盟者（大半がロシア人）たちが、それをビジネスではなく特別な感謝を表す名誉の印だとみなしていたことも有名だ。しかし、ズパニッチのドキュメンタリー映画により、その丘で起こったことの真実が明らかになった。裕福な外国人（ほとんどがアメリカ人、イギリス人、イタリア人、なかにはロシア人もいた）が大金を支払い、包囲されたサラエボの住民を狙撃する機会を買っていたのだ。この狩猟旅行《サファリ》を組織したのは、ボスニアのセルビア人武装勢力だった。顧客は、ベオグラードからパレ（サラエボに近い山岳地帯に位置するスルプスカ共和国の行政的中心地）に送られ、そこから丘の下のサラエボを見渡せる安全な場所に案内された。[★58]

『サラエボ・サファリ』を観ると、ボスニアのセルビア人武装勢力の最高司令部だけでなく、ボスニアに駐留していたNATO平和維持軍もまた、この狩猟旅行に気づいていたことがわかる。ではなぜ、彼らはそれを公にするか、あるいは狙撃ステーションを爆撃するなどの対策を講じなかったのか?

ここでとりわけ興味深いのは、「狩猟者」の主観性である。このときの犠牲者は名もない人々で、特定の個人ではなかった。つまり狩猟する側は、象徴的な壁によって標的と隔てられていたことになる。とはいえ、この狙撃はテレビゲームではない。犠牲者は息をしている生きた人間であり、狩猟者がそれに気づいていたことは、「狩り」によって病的なスリルを味わっていた事実からも明らかだ。より正確に言うと、ここで非現実化されたのは犠牲者ではなく、通常の現実から自らを切り離して現実世界に触れることのない安全な場所に身を置いていた狩猟者自身だった。それによって現実そのもの(殺戮)が狩猟者にとって、自分は個人的に関わっていないふりのできるショーの一部となったのである。

唾棄すべき平和主義者

この状況には、ある種の倒錯した率直さが見られる。今日の企業経営者たちもまた、似たような狩猟を行っているのではないか？　彼らの決断しだいで数千人が仕事を失い、大勢の人生が台無しになる。なかには自分たちがクビにした、あるいは恥をかかせた従業員の家族をじっと観察している者もいるかもしれない。

同様の狂気を示す究極の例を挙げよう。前ロシア大統領で現在は安全保障会議副議長を務めるドミトリー・メドヴェージェフが「アメリカが率いるＮＡＴＯ軍事同盟は、〝核兵器による破滅〟を過度に恐れているから」ロシアが戦術的に核を使用しても直接紛争に介入できないと主張したときも、同じような論理に従っていたと言えるのではないだろうか。

この状況でもなお、ＮＡＴＯが紛争に直接介入することはないと考えている。結局のところ、北大西洋同盟にとっては、ワシントン、ロンドン、ブリュッセルの安全のほうが、誰も必要としない死にかけたウクライナの命運よりもはるかに重要だからだ……西側諸国にとって、先進兵器の供給はビジネスにすぎない。壊滅的な核戦争が起こったとしても、諸外国やヨーロッパの扇動政治家が命を落とすことはないのだ。したがって彼らは、現在の紛争でいかなる兵器が使用されようと、我慢し続けるだろう。[★59]

この発言が意味するところを、われわれは理解しているだろうか? メドヴェージェフはちっぽけな領土のために、数十億——ウクライナ紛争に関わっていない、ラテンアメリカ、アフリカ、アジアの数十億の人々——の命を危険にさらす用意があると言っているのだ。

遡って二〇二二年八月、メドヴェージェフは、モスクワの核戦力を考慮すると、ウクライナにおける戦争犯罪でロシアを罰する提案は人類の存続を脅かすことになるだろうと発言した。[★60] このような発言をするとは、メドヴェージェフは自分がどれほど優位な立場にあると考えているのか? 主観的に自分の立場をどう見ているのだろうか。メドヴェージェフは死者のなかに自分を含めてはいない。まるで、自分は核兵器が引き起こす世界規模の大惨事を生き残ることができる——その他の人類はサラエボの峡谷《きょうこく》にいて、自分はその上の安全な丘にいる——かのような口ぶりだ。もちろん、人類が滅亡すれば自分にも影響が及ぶことは彼もわかっているのだが、まったくそうではないかのように発言している。

その背景に、ロシアによるウクライナの一部の公式併合という事実があることは、誰の目にも明らかだ。この併合宣言により、ウクライナがその地域に侵入すれば、ロシアの国家としての存続を脅かしたと主張できるため、戦略的な核兵器の使用を正当化できる。

私は専門家ではないから、核兵器の使用が広範囲においてどんな影響（ロシアの軍事上の後退など）をもたらすかはさておき、ここではメドヴェージェフの論理を突き詰めることにしよう。彼はまた、ロシアが「ナチス・ウクライナ」のような「敵意ある近隣国」が核兵器を所持することを「何をおいても」阻止すると発言した。だが、他国（ウクライナ）の存続そのものを脅かしているのはロシアなのだから、近隣国にも自国の存続をかけて戦略的な核兵器で防衛する権利があるのではないか？　したがって、われわれはロシアとの基本的な戦略的均衡を確立するためにウクライナに核兵器を置くべきだという案を真剣に受け止めるべきである。二〇二二年六月のプーチンの発言を思い出してほしい。

グローバルなリーダーシップとまではいかなくても、何らかの分野で指導的役割を主張するためには、国、国民、民族を問わず、主権を確保すべきだ。主権を持たない国は、どう呼ばれていようと植民地であり、その中間は存在しない。[★61]

この発言から、プーチンがウクライナを後者だとみなしているのは明らかだ。誰がなんと呼ぼうと、彼にとってウクライナは植民地なのだ。したがって、ウクライナを誰の植民地でもない――もちろん西側諸国の植民地でもない――国家として扱うことこそ、われわれがとるべき戦略である。これはまた、「朝鮮半島の平和が韓国を無視したアメリカ側と敵国の交渉によって達成されたように、われわれはウクライナを介さず強大な西側諸国がロシアと直接交渉を行うべきだ」というハーラン・ウルマン（注：米戦略国際問題研究所シニア・アドバイザー）の主張をきっぱり退けねばならない理由でもある。

プーチンがなんとしても勝つと心に決めているならば、どうすればこの戦争を終わらせることができるのか？　戦争終結のために関係諸国が受け入れられる条件を、考慮だけでもしておくべきでないだろうか。クレマンソー（注：フランスの政治家）は、「戦争というものは、将軍に任せておくには重要すぎる」と述べた。この場合、ウクライナはゼレンスキーに任せておくには重要すぎるのではないか？　アメリカには、この暴力と戦争を終わらせるための出口戦略が必要だ。[62]

しかし、これこそまさにロシアの狙いではないのか。メドヴェージェフの声明をはじめとするこうした発言が、ウクライナと西側諸国に自制心の発揮を促す重大な警告だと解釈する一部の平和主義左派は、私の提案にぎょっとするにちがいない。彼らは「ロシアを極限まで追い詰めてはならない」と叫ぶことだろう。プーチンを追い詰めてはならない、と。だが、これこそ、われわれが何をおいても避けねばならない姿勢なのだ。NATOとウクライナへの武器支援に反対する平和主義者たちは、ウクライナが抵抗を続けられるのは西側諸国の助けがあってこそであるという重要な事実から目を背けている。西側の援助がなければ、ウクライナ全土がとっくに占領されているはずだ。西側の支援があればこそ、われわれは現在のような膠着《こうちゃく》状態に陥っている。そしてこの支援により、和平交渉が起こりそうな（とはいえ、われわれも知っているとおり、戦いがいつエスカレートしてもおかしくない）状況が生まれたのだ。チョムスキーからバルファキス、ピーターソンといった平和主義者は、現在公に意見を述べる人々のなかで最も唾棄《だき》すべき輩である。彼らは当初、ウクライナがロシアとの戦争に勝てるわけがないと言い張ったが、勝利の気配が見えはじめたとたん、プーチンが激高して核兵器のボタンを押しては困るから、勝つ（ことを許される）べきではない（あるいは進撃することさえ許されるべきではない）などと主張しはじめた。この見解に従うと、プーチンは無慈悲な征服者ではなく危険な狂人であり、平和（核戦争の阻止）は、ほかのあらゆる懸念を凌《しの》いで最も優先されるべきだ、ということになる。

自ら破滅に突き進む狂気

ウクライナ侵攻が始まってから、西側諸国はプーチンの思考を解明しようと躍起になってきた（私には、彼の目標は非常に明白である）が、それよりはるかに捉えどころがないのは西側諸国のリベラル派が何を考えているか、である。戦争が始まった直後、西側の強国がゼレンスキーにキーウを脱出するための特別機を手配すると申し出たこと、それによって状況はすでに手に負えなくなっている（だから、即座に脱出したほうがいい）と仄めかしたことを思い出してほしい。ヒステリックかつ性急なこの申し出は、ウクライナの抵抗が思いがけず功を奏したことにより叶わなかった西側諸国の真の望みをはっきり表していた。

われわれは、ロシアに面目を失わせるような行動は控えるべきだという発言を繰り返し耳にする。だが、メドヴェージェフをはじめとする人々が、妥協は西側諸国の臆病さの証拠だと前もって宣言したために、ウクライナと西側諸国の双方が面目を保つことは不可能になった！

そういうわけで、おそらく交渉による一種の妥協は必要になるだろう。しかし繰り返すようだが、戦争を「正常な」状態とみなし、まるでそれが起こらなかったかのように以前の経済的および文化的な関係を復活させ、ロシアの面目を立てることを考慮するような妥協は一切してはならない。ロシアが恐ろしく危険な破綻国家である実態を認め、この国をそのように扱うべきである。

ではなぜ、メドヴェージェフは公に前述のような発言をしたのか？　なぜ彼は、核兵器で反撃をしたがらない西側諸国は臆病者の証拠だなどと前もって宣言し、追い打ちをかけるようなことをしたのだろうか？　唯一の解釈は、ロシアが前述した狩猟者の主観性に従って交渉による解決をできるかぎり難しいものにしようとしているから、ではないだろうか。

しかし、狂気の沙汰としか言いようがないのは、われわれが核兵器による破滅を話題にしながらも、現在進行中の環境変動を無視するという集団自殺同然の行動を取っている事実である。まるで、核戦争という起こりうる未来に注目すれば、着々と迫りつつある人類滅亡の危機への恐怖が薄れるかのように。われわれがなしうる唯一の神の御業《みわざ》は自己破壊だという否定的な意味において、核の脅威はわれわれ（全員ではなく、核兵器のボタンを押せる人々）をホモ・デウス（注：神に進化した人間）的な存在にしている。しかし、近年のパンデミックで学んだように、愚かなウイルスにもまた、われわれを滅ぼすことが可能なのだ。

一国の完全なる主権などない

　ここで再び、われわれはスタート地点に舞い戻ることになる。『サラエボ・サファリ』で描写された状況は、西側諸国のみならず、世界各地の特権階級にとって正常な状態になりつつある。彼らは現実世界ではなく、遠く安全な場所にいて、そこから現実である峡谷を観察している。そして、自らの身を危険にさらすことなくスリリングな体験をするために、その現実に介入するのだ。不幸にして現実に追いつかれることもあるが、たいていの場合、平和を愛する西側諸国にふさわしい反応を示し、峡谷にいる怪物が飽くなき怒りに駆られていることには気づかずに、できるかぎりその怪物を挑発しないよう努めている。

　ここで思い浮かぶのが、ジョン・レノンの大ヒット曲「イマジン」である。私はいつも、「イマジン」は間違った理由で人気がでた偽物の曲だと考えている。というのも、いつか世界が「ひとつになって生きていく」日が来ると想像したが最後、地獄のような状態に陥ることになるからである。ロシアによるウクライナ侵略を前にしても平和主義に固執する人々は、自らの「イマジン」にはまりこんでいるのだ。もはや軍事紛争で緊張状態が解決されることのない、不必要な戦死者などいない世界を想像《イマジン》してごらん……ヨーロッパは、国境の向こう側の残酷な現実を無視し、この想像上の世界に固執している。しかし、迅速なウクライナの勝利という夢――これは実際のところ、迅速なロシアの勝利という最初の夢の反復にすぎないのだが――は何か月も前に絶え、月日の経過とともに状況はますます明確になっている。プーチンが自分をピョートル大帝にたとえた以下の発言では、もはや行間を読む必要さえない。

表面的には、彼(ピョートル大帝)はスウェーデンと戦争をし、土地を奪おうとしていたように見える……しかし、奪っていたわけではなく、奪い返していたのだ……彼は奪い返し、強固にしていた。それこそ、彼のしていたことだ……明らかに、われわれにもまた、奪い返し、強固にする責任がある。[★63]

「国家には、主権を持つ国と征服された国というふたつのカテゴリーがある」というプーチンの主張を思い出してほしい。彼の帝国主義的な見方において、ウクライナは後者のカテゴリーに分類される。[★64]そして、彼がボスニア・ヘルツェゴビナ、コソボ、フィンランド、バルト諸国……究極的には、ヨーロッパそのものを同カテゴリーに属するとみなしていることは、この数か月間におけるロシアの公式声明からも明らかだ。プーチンは西側の平和主義者たちに、ドンバスにおけるわずかな領土を譲るだけでなく、自分の帝国主義的な野望をそのまま受け入れることを要求しているのだ。この野望が無条件に却下されるべき理由は、共通の大惨事という悪夢に付きまとわれている今日のグローバルな世界では、われわれすべてが中間国家、つまり主権国家でも征服された国家でもないからである。人類が存続するためには地球全体の緊密な協力が欠かせないのだから、地球温暖化を前にして、一国の完全なる主権を主張するのは狂気の沙汰だ。

真の狙いは欧州の解体

しかし、ロシアは気候変動をまったく無視しているわけではない。スカンジナビア諸国がNATO加入の意向を表明したとき、なぜロシアはあれほど怒りをあらわにしたのか？それは、地球温暖化が進むなかで、北極海航路の支配がかかっているからである（トランプがデンマークからグリーンランドを買おうとしたのも同じ理由からだ）。中国、日本、韓国の爆発的な経済成長により、ロシアとスカンジナビア半島の北を通る航路は将来、東アジアと欧州を結ぶ主要輸送ルートとなるにちがいない。ロシアの戦略計画は、地球温暖化から利益をあげること、つまりシベリア開発とウクライナの統治に加え、世界の主要輸送ルートを支配することである。それによって、世界の食料生産とサプライチェーンの大半を独占し、全世界を脅迫できるようになる。これこそが、プーチンの帝国主義の夢の下に隠された究極の経済的現実なのだ。

領土損失の受け入れを含めた交渉に応じるべきだ、とウクライナに強い圧力をかけることを提唱する人々は、ウクライナがロシアに勝利を収めることなどありえない、そう考えるなど狂気の沙汰だと嬉々として繰り返している。たしかにそのとおりではあるが、この議論からも、ウクライナの抵抗がいかに偉大であるかがわかる。現実的な予測に逆らい、不可能を顧みず抵抗している彼らのために、せめてわれわれにできることは徹底的な支援だ。そのためには、より強力なＮＡＴＯが必要とされるが、そのさいＮＡＴＯが果たす役割はアメリカが現在施行している政策の延長であってはならない。アメリカがヨーロッパの画策を通してロシアの地政学的勢力に対抗しようとしていることは、言うまでもない。そウクライナだけでなく欧州全体が、アメリカ対ロシアの代理戦争の場となりつつある。その挙げ句、ヨーロッパが代償を払うような妥協とともに戦争が終結する可能性が高い。ヨーロッパがそれを防ぐ手立てはふたつにひとつ、中立に徹する――これは破局への近道となる――か、自律的エージェント（注：置かれた環境を感知し、自身の内的方針に従って行動する存在）となるかしかない（二〇二四年のアメリカ大統領選でトランプが選出された場合、状況がどう変わりうるかを考えてみるといい）。

左派の一部は、現在行われている戦争がＮＡＴＯという軍産複合体の利益にかなっていると主張する。ＮＡＴＯが国内の危機を避け、利益を増やすための手段として新たな兵器需要を利用している、と。彼らはウクライナに、たしかにきみたちは残虐な侵略行為の犠牲となっているが、われわれの兵器に頼れば軍産複合体の思う壺だから、頼らないでくれ……というメッセージを送っているのだ。ウクライナ戦争によって引き起こされた混乱は、ヘンリー・キッシンジャー（注：二〇二三年十一月に死去）とノーム・チョムスキーといった奇妙な組み合わせの政治的同志を生みだした。ふたりとも、ウクライナは一刻も早く和平協定を達成するために領土の一部を放棄する合意について考慮すべきだと論じている。[★65]

この種の「平和主義」が機能するためには、今回の戦争がウクライナとは関係なく、世界の地政学的状況そのものを力づくで変える試みだという重要な事実に目をつぶらねばならない。この戦争の真の狙いは、アメリカの保守派やロシアのみならず欧州の急進右派と左派——現在のフランスでは、（ジャン＝リュック・）メランションと（マリーヌ・）ル・ペン

――らが支持する、欧州の解体なのだ。

現在、真の左派にとって何としても許容できないのは、ロシア支援だけではなく、左派は平和主義者とウクライナ支持者に分裂しているが、それをグローバル資本主義との闘いには影響を及ぼさない些細な事実と捉えるべきだという、「控えめ」で中立的な主張をすることである。なぜか？　一九三七年の論文「矛盾論」で毛沢東が確立した「主要な」矛盾と「副次的な」矛盾（「対立物の闘争」）という、おそらく復活させる価値のある違いを思い出してもらいたい。矛盾にしろ闘争にしろ、決してひとつではなく、必ずほかの矛盾なり闘争なりが付いてくる。毛沢東自身が挙げた例によると、資本主義社会におけるプロレタリアートとブルジョアジーとの「主要な」矛盾は、数々の「副次的な」矛盾を伴う。たとえば、帝国主義者とその植民地間の闘争もそのひとつだ。こうした副次的矛盾の内容は、主要な矛盾（植民地は資本主義社会にしか存在しないため）に左右されるが、主要な矛盾が常に最も重要であるとは限らず、それぞれの矛盾の重要性は入れ替わりうる。

たとえば、ある国が占領された場合、通常、支配階級が特権的地位を維持するため占領者から金を受けとって協力するため、それまでの内部闘争ではなく、占領者との闘争が最優先となる。人種差別をめぐる闘争にも同じことがあてはまる。人種的な対立や搾取が存在する国では、差別をめぐる奮闘に集中することが唯一、労働者階級の利益となる（これが、今日のオルタナ右翼的なポピュリズム〔注：一般市民の意見を代弁し、彼らの利益を優先していると主張する政治活動や思想。大衆迎合主義とも〕社会において、白人の労働者階級への働きかけが階級闘争への裏切りとみなされる理由である）。

今日、ウクライナの自由を勝ち取るための戦いは、「主要な」矛盾である。ウクライナを明確に支持しないのであれば、左派にはなりえない。ロシアへの「理解を示す」左派とは、かつてソ連を攻撃する前にドイツがイギリスに向けて唱えた「反帝国主義」の美辞麗句を真に受け、フランスに対するドイツの戦いで中立を提唱した左派と同じだ。つまりこの段階で左派がウクライナを支持しなければ、ゲームオーバーである。

では、ウクライナの奮闘を支援する右派の原理主義者とともに、たんに西側諸国の味方につくだけでよいのだろうか？

「自由な西側諸国」はこの戦争に何を求めるのか？

二〇二二年五月、ダラスで行われたスピーチで、ブッシュ元大統領はロシアの政治体制を批判しつつ、こう述べた。「その結果、ロシアにおける抑制と均衡（三権分立）の欠如が起こり、ひとりの男がまったく正当化できないイラクへの残虐な侵攻を開始する決断を下した」と。

彼はそう言ってから、あわてて訂正した。「つまり、ウクライナへの、だ」。それから、「いや、イラクか……」と付け加えると、集まった人々から笑い声があがり、「七十五だから」と、自分の年齢に言及した。[★66] 多くの解説者が述べたように、このフロイト的な言い間違いにおいて、ふたつの点が浮き彫りになった。まず、聴衆がアメリカによるイラク攻撃(ブッシュによって指令が下された)をロシアのウクライナ侵攻に匹敵する犯罪として扱うどころか、「まったく正当化できない残虐な侵攻」だったというさりげない彼の自白を笑いとともに受け止めたという事実である。加えて、ブッシュは「いや、イラクか」という不可解な訂正を行っている。これはどういう意味だったのか? イラクとウクライナとの違いなどどうでもよいという意味だったのだろうか。最後に自分が高齢だと言及したことは、この不可解な謎の解決には役立っていないが、これによって、われわれがブッシュの発言を真剣に、言葉どおりに受け止める雰囲気が一掃されたことはたしかだ。とにかく、様々な違いを考慮しても(たとえば、ゼレンスキーはサダムのような独裁者ではない)、ブッシュはプーチンがウクライナに対して行っているのとまったく同じことをしたのだから、ふたりとも同じ基準で裁かれるべきである。

しかし、そうはなっていない。二〇二二年六月十七日、われわれは、英国のプリティ・パテル内務大臣によって、ウィキリークスの創設者ジュリアン・アサンジのアメリカへの引き渡しが認可されたという報道を目にした。アサンジが犯した罪とは何か？ 彼はブッシュの失言により明らかになった犯罪を公にしただけである。ウィキリークスによって公表された文書は、ブッシュが大統領在任中に始まった「アフガニスタン戦争のさなか、米軍は未報道の事件で数百人の民間人を殺害した。また漏洩《ろうえい》したイラク戦争の報告書によると、六万六千人の民間人が殺害され、囚人が拷問を受けた」[★67]ことを明らかにした。プーチンがいまウクライナで行っている犯罪に匹敵する行為だ。ウィキリークスの暴露により、ブチャやマリウポリで起こったのと同じ大虐殺を米軍が数十回にわたり行っていたことが明らかにされている。ブッシュを戦争裁判にかけることは、プーチンをハーグの常設仲裁裁判所に引きずり出すのと同様に非現実的であるが、ロシアのウクライナ侵攻に反対する人々は、せめてアサンジの即時釈放を要求すべきだろう。

ウクライナはヨーロッパのために戦っていると主張し、ロシアはそれ以外の人々のために西洋の一極支配体制と戦っていると主張する。どちらの主張も却下されるべきだが、ここで右派と左派との違いが生まれる。極右の視点からすると、ウクライナはヨーロッパ的価値観のために非ヨーロッパの権威主義者たちと戦っているのであり、極左の視点からすると、ウクライナは地球の自由のために戦っており、それにはロシア人の自由も含まれる。ロシアの真の愛国主義者がウクライナに心から共感し、彼らを支援しているのはそのためだ。また、だからこそ、われわれは「プーチンは何を考えているのか？」という思考に決して取り憑《つ》かれてはならないのである。プーチンの周囲を固める人々は、彼にすべての真実を告げているのか？　彼は病気なのか、それとも正気を失っているのか？　われわれが追い詰めているから、彼は面目を保つためにこの紛争を全面戦争へと持ちこむしかないと感じているのか？　このような、越えてはならない一線に関する執拗な議論や、ウクライナへの支援と全面戦争の回避の中間にある正しい手段を果てしなく追い求めることは即刻やめねばならない。「越えてはならない一線」は、客観的事実ではない。すでに述べたように、プーチン自身、何度もその線を引き直している。プーチンにそれを許しているのは、われわれの反応なのだ。「アメリカとウクライナの情報共有は一線を越えたのか？」[★68]などの疑問を投げかけることによって、われわれは基本的な事実を消し去っている。

　ウクライナを攻撃したことで一線を越えたのは、そもそもロシアだ。したがって、われわれはプーチンを無敵の邪悪な天才とみなしてその言動の分析に終始するのではなく、まず自分たち自身を見つめる必要がある。われわれ「自由な西側諸国」は、この戦争に何を求めているのか？

ウクライナ支援の曖昧さを分析する

われわれは、ロシアの姿勢を分析するのと同じ鋭さで、ウクライナ支援の曖昧さを分析すべきだ。今日ヨーロッパの自由主義の基盤そのものになっている、ダブル・スタンダードの先を目指さねばならない。西洋の自由主義の伝統においては、植民地化はしばしば働く人々の権利という観点から正当化されたことを思い出そう。偉大な啓蒙思想家であり人権擁護論者のジョン・ロックは、過度な私的所有権に対する左派めいた奇妙な主張で、白人の植民者がネイティブ・アメリカンから土地を奪うことを正当化した。個人は生産的な方法で使える範囲のみの土地の所有を許されるべきで、利用できない（ために他人に譲渡する、あるいはそこから地代を得る）ほど広大な土地の所有は許されるべきではない、というのが彼の言い分だった。北米大陸では、ネイティブ・アメリカンたちは広大な土地が自分たちのものだと主張しているが、そのほとんどが野生動物を狩るために使われ、生産的に使用されていない。彼らが所有権を主張する土地は無駄になっている。したがって、農業のために利用したいと考える白人入植者には、人類のためにそれを差し押さえる権利がある、と論じたのである。

現在進行中の危機においては、どちらの側も、自分たちには行動を起こす義務があると主張し続けている。西側は、ウクライナの自由と独立を守るために支援する必要があると訴え、ロシアはウクライナ国内の安全を守るために軍事介入するしか方法はないと断言している。

ここで、ひとつ例を挙げよう。二〇二二年、ロシアの外相は、[★69]もしフィンランドがNATO加盟に成功すれば、クレムリンは「報復手段をとらざるを得ない」と述べた。しかし、ロシアがウクライナを攻撃「せざるを得なかった」のが真実でないのと同様に、報復手段を「とらざるを得ない」などということは決してない。この決断は、ロシアの政治を支えるイデオロギー的および地政学的な前提すべてを受け入れて初めて、「とらざるを得ない」ように見えるのだ。これらの前提は、タブーを設けずに細かく分析する必要がある。プーチンの政略は、ロシアの文化全体と切り離して考えるべきだという議論を頻繁に耳にするが、この線引きは見かけよりもはるかに穴だらけだ。何年も辛抱強く交渉し、ウクライナ危機を解決しようと心を砕いたあと、ロシアはついに武力による介入を決断せざるを得なかったという主張は、断固として受け入れてはならない。強制されて国家を攻撃し、滅ぼす者などどこにもいない。プーチンがこの決断に至った理由は、それよりもずっと深いところにある。私に言わせれば、この決断はまったくの独断である。ロシアのオリガルヒ（新興財閥）の父であるアナトリー・チュバイス（一九九二年、国営企業の急激な民営化を実施した）は、二〇〇四年にこう発言している。

この三か月間で、ドストエフスキーの作品すべてを読み返した。彼に対しては、鳥肌が立つような憎悪しか感じない。天才であったことは間違いないが、ロシア人が特別な聖なる民族であるという概念、苦悩を至上とする思想、彼が提示する偽りの選択を思うと、八つ裂きにしたくなる衝動に駆られる。[★70]

私はチュバイスの政策が大嫌いだが、ドストエフスキーに関する彼の見解は正しいと思う。ドストエフスキーが作中で用いた「個人主義」対「集団主義」、「物欲」対「犠牲の精神」などの表現は、ヨーロッパとロシアの対立を「実に深遠に」描写していると言えるだろう。

ドストエフスキーと足並みを揃え、ロシアは、ウクライナへの侵略が西欧のグローバリゼーションに対する脱植民地化闘争の新たな段階だと主張した。メドヴェージェフいわく、世界は「アメリカ中心の世界という概念の崩壊と、実利的な基準に基づく新たな国際協力の出現を待ち望んでいる」のだ（言うまでもなく、「実利的な基準」とは、普遍的な人権の無視を意味する）。とはいえ、西側諸国が「近年まで、西洋民主主義の柱のひとつだった私有財産権を完全に無視している」というメドヴェージェフの批判には同意できる。たしかに、「私有財産権」は制限されなければならない。だが、この制限はロシアの新興財閥だけでなく、西欧の新しい封建制における超富裕層にも適用されるべきだ！

偽善的なダブル・スタンダードをあてはめるな！

そういうわけで、われわれも越えてはならない一線を引きはじめる必要があるのだが、ここで重要なのは第三世界との連帯を明確にする方法で線引きをすることである。メドヴェージェフは、ウクライナにおける戦争により、「一部の国家で食糧危機による飢饉が起こる」[★71]と予測した。彼がそう言った二〇二二年五月、ロシア海軍が港を封鎖したために、オデッサ港の貨物船やウクライナ国内のサイロで二千五百万トンもの穀物が腐りつつあったことを考えると、驚くほど皮肉な発言だ。二〇二二年七月に締結された黒海穀物イニシアチブにより、これらの港は再び開港を許可されたが、数か月経ったあとも港を出る船はまだ非常に少なく、二〇二三年七月にはこの取り決め自体が崩壊した。[★72] ヨーロッパは鉄道やトラックによる穀物輸送でウクライナ支援を約束する以外、ほぼ何の対策も講じようとせず、国連世界食糧計画(WFP)事務長のデイビッド・ビーズリーいわく「五千万人の人々が飢餓に陥る寸前に」ある。もう一歩進んだ対策が必要なことは明白だ。われわれは、各港の完全なる開港と、軍用船による護衛派遣を要求しなければならない。これはウクライナだけの問題ではない。アフリカやアジアの何億もの人々が飢餓状態に陥ることになるのだ。まさにここにこそ、越えてはならない一線を引くべきである。

ウクライナでの紛争が勃発した数か月後、ロシアの外相ラブロフは、「(このウクライナ戦争が)アフリカ、あるいは中東で起こっていると想像したまえ。ウクライナがパレスチナで、ロシアがアメリカだと想像すればいい」[★73]とウクライナにおける武力衝突をパレスチナの窮状と同列に論じた。すると予想通り、「多くのイスラエル人が激怒した。イスラエル人は、共通点などまったくないと考えているからだ。多くの人々が、ウクライナは主権を持つ民主主義国家だと指摘するものの、パレスチナを国家とは考えていない」とニューズウィーク誌は報じた。★74 もちろんパレスチナは国家ではないが、それはイスラエルが国家になる権利を否定しているからである。ロシアもそれとまったく同じように、ウクライナを主権国家と認めることを拒否している。ラブロフの発言には嫌悪を催すものの、彼が時に真実を巧みに操ることは認めざるを得ない。ただ、彼が「想像してほしい（イマジン）」と言っているのは、ジョン・レノンのそれよりもずっと考えさせられる内容であることは事実だ。

たしかに自由主義の西側諸国は、その高度な基準をきわめて自らに都合よくあてはめる偽善者だ。しかし、偽善とは自らが主張する基準に違反することであり、それによって内在的な批判にさらされる。つまり、われわれが自由主義の西欧を批判するときは、西欧の同じ基準を用いているわけだ。それに対し、ロシアが差しだしているのは偽善のない世界だが、「偽善のない」理由は、彼らがグローバルな倫理基準を持たず、相違点を実利的に「尊重」するからにすぎない。タリバンがアフガニスタンを乗っ取ったあと、即座に中国と取引をしたのが、まさにその例だ。中国が新たなアフガニスタン政権を受け入れる一方で、タリバンは中国による新疆《しんきょう》ウイグル自治区での行いから目を背けることに同意した。

簡潔に言えば、これこそ、ロシアが提唱する新たなグローバリゼーションなのである。

われわれの自由主義の伝統で救う価値があるものを守るには、その自由主義が抱える普遍性を頑として主張するしかない。ダブル・スタンダードをあてはめたが最後、ロシアとまったく同じように「実利的」になってしまう。ここで言う普遍性とは、前述の「狩猟者」的な主観性が存在する余地のない状態を指す。われわれは現実の一部であって、丘の上から世界を見下ろしているわけではないのだ。

第五章 ほかの国が果たすべき役割

「本物の」難民と、歓迎に値しない難民

ロシアのウクライナ侵攻が始まると、私はまたしてもスロヴェニア人であることを恥ずかしく思った。スロヴェニア政府はロシアの侵攻開始直後に、国外に逃れた数千のウクライナ難民を受け入れる準備があると発表した。一見、合理的な決断に思えるが、その半年前、アフガニスタンがタリバンに占領されたときには、同じ政府がスロヴェニアには難民を受け入れる用意がないと発表し、アフガニスタンの人々は逃げだす代わりに銃をとってタリバンと戦うべきだとその発表を正当化したのだ。同様に、アジアからの数千人の難民が、ベラルーシからポーランドに入国しようとした二〇二一年七月には、スロヴェニア政府はヨーロッパが攻撃されていると主張し、ポーランド軍に支援を申しでた。したがって、「われわれの(ヨーロッパの)」、つまり「本物の」難民と、歓迎に値しない第三世界の難民というふたつのカテゴリーが存在するのは明らかである。

侵攻開始の翌日、スロヴェニア政府はこの区別を明確にするツイートを発信している。「ウクライナからの難民は、文化的、宗教的、歴史的に、アフガニスタン難民と根本的に異なる環境から来ている」と。多数の抗議が寄せられ、まもなくこのツイートは削除されたが、不愉快な本音が顔をのぞかせた瞬間だった。

私が今回この点について言及するのは、道徳的な理由から——道徳的に問題があることは否定のしようがない——というよりも、地政学的な影響力をめぐる現在の世界的な闘争では、この種の「ヨーロッパの防衛」は西欧にとって壊滅的な結果をもたらしかねないからだ。マスコミはいま、双方が存続の脅威をもたらしているのは相手側だと非難し合う、「自由主義」の西欧圏とロシアの「ユーラシア」圏との戦いに焦点を当てている。ロシアによると、西側諸国はロシアをＮＡＴＯ加盟国で取り囲むことを目的として、東側（ウクライナだけでなく、ベラルーシやモルドヴァ、ブルガリアなど）で「色の革命」（注：二〇〇〇年頃から旧ソ連の共和国や中東諸国において、独裁や腐敗の横行する政権の交代を求めて起こった民主化運動の総称）を扇動しているという。一方、ロシアはかつてソビエト連邦だった領土全体を武力で奪還しようと謀《はか》り、この侵攻がどこで止まるのかは誰にもわからない。ボスニア・ヘルツェゴビナがＮＡＴＯ加盟に向かう動きを見せれば黙ってはいないと、ロシアはすでにはっきり述べている（そうなればおそらく、ロシアはスルプスカ共和国のボスニアからの離脱を支援するだろう）。このすべてが、地政学に基づく大規模な駆け引きの一部なのだ。ロシアがシリアに軍隊を駐留させ、アサド政権を救ったことを忘れてはならない。

この軍事介入はハッタリ合戦ではない

西側諸国は、第三のはるかに大きなグループがこの紛争を静観していることをほとんど無視している。このグループとは、ラテンアメリカから中東、アフリカから東南アジアまでの、世界の残りの部分だ。中国でさえ、ロシアを完全に支援する心構えはできていない。もっとも、中国にはこの紛争を自国に有利になるよう利用する独自の計画がある。ウクライナ侵攻の初期、金正恩に宛てたメッセージで、習近平《しゅうきんぺい》は中国と朝鮮民主主義人民共和国（北朝鮮）との友好および協力関係を「新たな状況のもと」[★75]――ウクライナでの戦争を暗に示している――深めていくために、力を合わせていくつもりだと述べた。中国がこの「新たな状況」に乗じて台湾の「解放」に乗りだす懸念は、いまも残っている。

だからこそ、明白な事実を言葉で繰り返すだけでは足りないのだ。プーチンは最初から、ロシアの立場に関してわれわれが知る必要のあることはすべて明らかにしていた。実際、侵略が始まった翌日、ウクライナ軍に国内の権力を掌握し、ゼレンスキーを大統領の座から引きずり下ろせと呼びかけ、「（きみたちと）同意に達するほうが、ウクライナ国民全員を人質に取っているネオナチの麻薬中毒者集団（ウクライナ政府）と和解するより容易《たやす》い」[★76]と言い放った。また、ロシアがすぐさま自国に対するあらゆる対抗措置を軍事行為とみなしたことも忘れてはならない。西側諸国がロシアをＳＷＩＦＴ（注：銀行間の国際金融取引などに利用されるネットワークシステム）から締めだす措置を考慮しはじめると、ロシアはこれが戦争行為に匹敵すると答えた――まるで、自分たちが大規模な戦争を実際に始めてなどいないかのように。

プーチンは、侵略を宣言したとき、「外部からの介入を考慮している者すべてに告ぐ。われわれの邪魔をすれば、歴史上最大の、これまで直面したこともない恐ろしい結末に直面するであろう[★77]」と明言した。この声明を分析してみよう。「外部からの介入」が示す範囲は広い。そこには、防衛のための軍装備品をウクライナに送ることも含まれる。「歴史上最大の、これまで直面したこともない恐ろしい結末」とは何か？　ヨーロッパ諸国は、数百万人の命を奪ったふたつの世界大戦を経験済みだ。そうなると、「これまで直面したこともないような」結末とは、核による破壊でしかありえない。

ロシアの軍事行動に「理解」を求める人々は、これまでの例からもわかるように、奇妙な政治的同志の集まりである。おそらく最も嘆かわしいのは、自由主義左派の多くが今回の危機を、全面戦争などできるわけがないと高を括《くく》った両陣営のハッタリ合戦にすぎないとみなしていることだ。彼らは「落ち着け。パニクるな。そうすれば何も起こらない」と呼びかけている。それ以外の「左派」（引用符を付けずにこの言葉を使うことはできない）は、なんと西側に責任を擦りつけ、NATOがロシアのきわめて理にかなった不安を無視し、同国を軍事的に包囲し、徐々に締めつけているというロシア側の主張をそのまま繰り返している。結局のところ、ロシアは過去二世紀で、西側諸国に二度も攻撃されているのだ……と。

　この発言には真実も含まれている。だがこれは、不公平なベルサイユ条約がドイツ経済を崩壊させたのだから、ヒトラー政権は正当だったと言うのと同じことではないか。しかもこの主張は、グローバルな安定のためであれば、強国には小国の自治権を犠牲にし、自らの影響圏を統治する権利があると仄めかしてもいる。プーチンは何度も、軍事介入する以外に方法はなかったと主張している。彼自身の理屈ではそうなるのだろう。だが、われわれはここで重要な疑問を提起せねばならない。軍事介入の「ほかに方法はなかった」ように見えるのは、プーチンのグローバルな政治的見解を、強国が影響圏を守り拡張しようとする闘争と解釈したときのみである。

プーチンはなぜ新右派ポピュリストから多大な支持を得ているのか

では、プーチンがウクライナをファシズムだと糾弾している点に関しては、どうだろうか？　われわれはその疑問を逆に、プーチンその人にぶつけなければならない。プーチンに関して幻想を抱く人々は、プーチンが思想家イワン・イリインに大きな影響を受け、彼を信奉しているという事実に注目すべきだ。

イワン・イリインは一九二〇年代初期、有名な「哲学者の船」によってソ連を追放されたあと、ボリシェヴィズムと西欧の自由主義の両方を批判し、独自のロシア・ファシズム——父なる君主率いる、有機的なコミュニティとしての国家——を提唱したロシアの政治・宗教哲学者である。イリインは、社会体制を人間の体として捉え、人はそれぞれ、その体のなかにいるべき場所があり、自由とは自分の居場所をわきまえることとみなす。したがって、イリインにとって民主主義は形式的なものにすぎない。「私たちは、指導者への集合的支援を確認するためだけに投票する。指導者は、私たちの投票によってその地位に就くわけではなく、私たちの投票によって選ばれるわけでもない」[78]。この数十年間、ロシアの選挙は実質的にこの発言どおりに行われているのではないか？

イリインの著作が現在ロシアで大量に再版され、旧ソ連の共産党政治局員や徴集兵に無料で配られているのも納得である。プーチンに影響を与えた哲学者アレクサンドル・ドゥーギンは、歴史相対主義的なポストモダン要素を付け加えてはいるが、イリインの主義思想にほぼ忠実に従っている。

ポストモダニティは、すべてのいわゆる真実は信じることにあると示している。したがって、われわれは自分のすることを信じ、自分の言うことを信じる。それが真実を定義する唯一の方法なのだ。つまり、われわれには西側諸国が受け入れるべき特別なロシアの真実がある。もしアメリカが戦争を始めたくないのであれば、西側諸国はアメリカがもはや唯一無二の主人ではないと認識すべきだ。シリアやウクライナの状況において、ロシアは「いや、きみたちはもはや支配者ではない」と言う。要するに、誰がこの世界を支配しているのかという問題なのだ。それを決められるのは、戦争のみである。[★79]

そうなると真っ先に、シリアや中央アフリカ共和国、ウクライナの国民はどうなるのか、という疑問が頭に浮かぶ。彼らもまた真実／信念を選べるのか、それとも、これらの国々はたんに強大な「支配者たち」が繰り広げる闘争の場にすぎないのか。プーチンが新右派ポピュリストから多大な支持を得ているのは、それぞれの「生き方」にそれぞれの「真実」が存在するという概念を掲げているためだ。トランプたちがプーチンのウクライナへの軍事介入を「天才的だ」[★80]と称したのも、少しも不思議ではない。したがって、プーチンが「非ナチ化」について話すとき、われわれは、彼がフランスのマリーヌ・ル・ペン、イタリアのレーガ(同盟)といった実際のネオ＝ファシスト運動を支援したのと同じ人物であることを心に留めておかねばならない。

人道支援の仮面をかぶった新植民地主義を根絶やしにせよ!

とはいえ、こうした事実のどれひとつとして驚きではない。「ロシアの真実」など忘れるべきだ。そんなものは、たんに権力を正当化するための都合の良い作り話にすぎない。プーチンに真の意味で立ち向かうためには、世界の残りの部分、つまりヨーロッパの境界線の外に位置する国々とのあいだに架け橋を築く必要がある。そうした国々の多くは、西欧の植民地化と搾取に対してまっとうな恨みをたっぷり抱えている。「ヨーロッパを守る」だけでは、もはやじゅうぶんではないのだ。世界規模の窮地に直面しているいま、一番の急務は、われわれはロシアや中国が差しだしているよりもまともな選択肢を提供できることを第三世界の国々に納得させることであり、行動を通してそれを示さねばならない。

その行動とは、現在も行われている生態系および経済的な新植民地主義的搾取をやめ、債務の負担を緩和し、集団移民の原因となっている危機を解決し、ワクチンの買い溜めといった不公平な状況が起こらないよう世界規模の医療連携を確立することである。これらの目標を達成するためには、われわれ自身が変わらなければならない。ポリティカリー・コレクトなポスト植民地主義の先を目指し、人道支援の仮面をかぶったあらゆる新植民地主義を容赦なく根絶やしにする必要がある。

でなければ、ヨーロッパを守ることが第三世界の人々の自由を勝ちとる戦いでもあることが、なぜ彼らにはわからないのかと、われわれは首を傾げ続けることになる。第三世界の人々は、われわれが実際に行動に移していないから理解できないのだ。アサンジの処遇を見れば、われわれの偽善がいかに根強いかは明白である。ウクライナでは支持を得てはいないかもしれないにせよ、ロシアがグローバルサウスこと第三世界で着々と信頼関係を築いているのは、少しも不思議ではない。二〇二三年の初め、ブラジルで新たに大統領に選出されたルイス・イナシオ・ルーラ・ダ・シルヴァは、この戦争の責任はプーチンとゼレンスキーに等しくあるとして、南アフリカやインドと同じく、ブラジルも「中立」国グループに加わる、と宣言した。しかし、ここで言う中立とは、厳密にはロシア・シンパであることを意味する。つまりこれは、通りで図体のでかい屈強な大人に殴られている小さな子どもを見かけても、何もせず無言で通り過ぎ、必死に助けを求める子どもに、「すまん、中立なんだ!」と言い返すのとまったく同じことなのだ。

「ロシアは負けるべきだ!」と叫ぶなかれ

ちょうど同じ頃、イギリスのミュージシャンであるロジャー・ウォーターズが、国連安保理事会でビデオ演説を行い、「世界中の数えきれない兄弟姉妹の気持ちを」代弁した。

ロシア連邦によるウクライナ侵攻は違法行為であり、私はそれを断固非難する。また、この侵攻は挑発行為によって引き起こされたものであるから、私は挑発した側も、断固非難する……今日、唯一の賢明な行動は、四の五の言わず、ウクライナでの即時停戦を要求することだ。これ以上、ウクライナ人やロシア人の命が犠牲になってはならない。彼らのひとりひとりが、われわれにとって貴重な命なのだ。いまこそ面と向かって、権力者に真実を告げなければならない。

これは実際に中立の立場を表しているのか？　ウォーターズが「真実を告げる」権力者とは、誰のことなのか？　ベルリナー・ツァイトゥング紙のインタビューで、ウォーターズはこう語っている。「私はいま、プーチンの言わんとすることに、これまでよりも耳を傾ける準備がある。複数の独立した情報源から得た情報によると、プーチンはロシア連邦政府の総意に基づいて決断を下し、慎重に統治しているという」[★81]。

プーチンの発言に耳を傾けたとき、われわれが知るのは本当にこの事実だろうか？　ロシアの報道機関に随時目を光らせている私は、大手のテレビ局でロシアはポーランドやドイツ、イギリスに核攻撃を仕掛けるべきだという議論を頻繁に目にする。彼らは、ウクライナへの攻撃が非ナチ化、非悪魔化のための戦いであり、あたかも伝統的な性的思考を脅かすLGBT＋権利運動が真の標的であるかのような（プライド・パレードを許可していることも、ウクライナへの非難のひとつだ）言い方をしている。こうした議論においては「リベラルな全体主義」といった、ぎょっとする表現が頻繁に飛び出す。ジョージ・オーウェルの『1984』はファシズムやスターリニズムへの批判ではなく、自由主義への批判だったなどと主張する解説者もいたくらいだ。プーチンを支持するチェチェンのラムザン・カディロフ首長は、ウクライナのあとは、「次の国を非ナチ化および非軍事化し……悪魔崇拝との戦いは、ポーランドの領土から始めてヨーロッパ全体で続けるべきだ」★82と発言した。

しかし、西側のメディアにおいて似たような報道は見当たらない。思いつくかぎり大げさに騒ぎたてているにもかかわらず、彼らはウクライナが生き延びる手助けをすべきだとマントラのように繰り返している。私が知るかぎり、誰もロシアの国境を変更すべきだと要求してもいなければ、ロシアの領土の一部をほかの国のものにすべきだとも言っていない。最後まで、この姿勢を維持するべきだ。なぜなら、ロシア文化のボイコットを要求しても、まったく逆効果だからである。ボイコットすれば、プーチン政権に「西側諸国がプーシキンやチャイコフスキー、トルストイをはじめとする偉大なロシア文化を攻撃している」と主張できる権利を与えるようなものだ。むしろわれわれは、偉大なロシアの伝統を、それを悪用する者たちから守っているのだと主張すべきである。また、勝ち誇った態度は避けねばならない。ロシアに恥をかかせるべきだと要求してはいけない。われわれの目標は、常に肯定的であり続けるべきだ。「ロシアは負けるべきだ!」ではなく、「ウクライナは生き延びねばならない!」という姿勢を保つべきである。

残りの「中立」国は基本的に、ウクライナでわれわれが直面しているのは局地的な紛争であり、様々な植民地における恐るべき行いや、アメリカのイラク占拠などの近年の大事件とは比較にならないと主張するが、彼らは重要な点を見逃している。ロシアのウクライナ侵攻により、ヨーロッパ内で残虐な植民地戦争が勃発したのであり、われわれは植民地とされつつある国と連帯を結ぶべきなのだ。中立を演じることを選ぶ国家に、ほかの地域で行われている恐ろしい植民地化に文句をつける権利はない。パレスチナ紛争も同様である。反ユダヤ主義と本気で闘いたいのならば、ヨルダン川西岸《ウエストバンク》でのイスラエルの行為に対するパレスチナの抵抗運動をも支持しなければならない。

そう、いたって単純なことなのだ。ときとして、物事は、とても単純なのである。ウクライナ侵攻が始まってから一年が過ぎ、ロシアがさらなる破壊行動によってその一周年を祝っているいま、ウクライナを責め、その英雄的な抵抗を平和の否定とみなすのは大きな間違いだ。ロシアの攻撃が激しくなればなるほど、世界各地の「中立国」は、ウクライナに防衛をやめるよう、さらなる圧力をかけている。そうした中立国が明らかな事実を無視し続けているとあって、われわれは、たとえ同じことをたびたび繰り返すことになるにせよ、次の点を辛抱強く主張し続けなければならない。戦争の開始時と同様に、ついに耐えられなくなった西側諸国が占領された領土をあきらめるようキーウを説得するまでロシアは攻撃の手を緩めないことが、様々な兆候によって示されている、と。これが、ロシアの「平和イニシアチブ」なのだ。

このような状況において、平和を達成できる可能性を残しておくためには、われわれがすでに緊急事態のなかで生きていることを受け入れ、それに相応しい行動を起こすしかない。たしかに、ウォーターズの言うとおり、ウクライナはロシアを「挑発して」いる。ウクライナは、絶望的な状況にあっても抵抗を続けることで、ロシアの帝国主義的な野望を焚きつけている。なぜなら、この状況でロシアを挑発しないのは、降伏を意味するからである。

第六章

結束する権力者に立ち向かえ

新たなタイプの政治指導者が現れはじめた

アボリジニの人々が、初めて訪れた探検家たちに「あなたたちのなかには、まだ人食いがいますか？　あなたたちは人肉を食べますか？」と尋ねられたときの、有名な答えを覚えているだろうか。

「いいえ、われわれのなかには人食いはいません。昨日、最後の人食いを食べましたから」

というのがその答えだ。

人食いでない文明化されたコミュニティが最後の人食いを食べたメンバーたちで構成されている場合、その「最後の」人食いが、人食いという犯罪行為だと分類されてしまうと、そのコミュニティは成立しえない。したがって、その行為は記憶から抹消され、「聖なる罪」とされる。

同様に、米国の西部開拓地方における「未開状態」から現代の法秩序に至るまでの道は、いわば最後の人食いを食らうような数々の残虐な行いによって切り開かれたものであり、それを隠すために伝説が作りだされた。ジョン・フォードが「伝説が事実になったら、そいつを記事にしろ」というかの有名なセリフで言わんとしていたのはこのことである。伝説が「事実になったら」というのは、真実という意味ではなく、その伝説が現存の社会政治的秩序の一部に取りこまれることを意味しており、それを否定することはこの秩序の崩壊に等しい。

こうした違法な慣習はいまなお続いている。合法的に存在する権力機構に支えられ、効力を与えられた、現代における法律外の慣習――遠回しに「強化された尋問手法」と呼ばれる拷問など――は、われわれの国家が内部告発者によってしか明らかにされない邪悪な手法や残虐さに頼り続けている事実を物語っている。

しかし今日、もっと奇妙なことが起こっている。新たなタイプの政治指導者が現れたのだ。アレンカ・ジュパンチッチ著『*Let Them Rot*（腐らせておけ）』から引用すると、その政治指導者は――

まるで基本的な道徳観念あるいは性格の違い、具体的に言うなら、公に犯罪行為を行える「勇気」あるいは「根性」があることの証明であるかのように、秘密裏にではなく公に犯罪を行うことを誇りに思っている。だが、国家の法律がときに要求する「偽善」を避けることで果敢に法律に逆らっているように見えても、その行為は実際、国家権力の忌まわしい別の側面を表しているにすぎない。それ以外の何ものでもないのだ。彼らは自分たちの法律に「違反して」いる。だからこそ権力を握っているときでさえ、まるで反対の立場にあるがごとく権力者を「ディープステート（注：闇の支配層。政府を密かに操ろうとしている軍・諜報機関・政府関係者の存在を主張する、陰謀論に基づいた用語）」などと糾弾し、反逆しているかのように振る舞い続けるのである。[★83]

大っぴらに法律に違反する忌まわしい指導者の最たる例が、ドナルド・トランプである。二〇二二年三月、トランプは、二〇二〇年の選挙の結果を覆して大統領に返り咲くため、憲法を廃止するよう訴えた。「二〇二〇年の大統領選の結果を放棄し、正当な勝者を宣言するのか？　それとも新たな選挙を行うのか？　これほど大掛かりな詐欺があったからには、憲法さえも含めた、あらゆる規則、規定、条項の廃止が許される[★84]」と。いま、西洋の民主主義社会の一部は、法体系による民主主義の見せかけさえも維持できないかのような様相を呈しはじめている。民主主義の生き残りをかけ、また民主主義らしさを保つために、自らの法律さえも公に破らなければならない状況にあるのだ。

今日のロシアでも同じく、見せかけが崩れはじめている。二〇一四年にプーチンは、クリミアではロシアによる軍事介入は行われなかった、同地域の人々がウクライナの脅威に反抗したのだと主張したが、その後、徽章《きしょう》のない軍服を着たロシア兵士たちが介入を行ったことを認めた。ワグネル・グループを率いるエフゲニー・プリゴジンも当初、関与を否定したが、のちに自分が軍事作戦を組織したことをあっさり認めている。

こうして、真の勇気とは国家の利益のためなら法をも犯す勇気だと再定義されつつある。この姿勢は、祖国のためなら卑劣な行為に手を染めることも厭《いと》わない英雄に対して正統派の右派が抱く憧れにも見てとれる。もっとも、自国のために高潔な行いをすること、そのために自らの命を犠牲にすることは容易いが、自国のために犯罪を行うことははるかに難しい。一九四三年十月四日、ナチス親衛隊幹部に向けて行われたポーゼン演説で、ヒムラーはユダヤ人の大量虐殺について、「これまで書かれたこともなく、これから書かれることもありえない、歴史における栄光の一ページだ」と述べ、その大量虐殺に女子どもも含まれることを明言した。「女子どもをどうすべきであるか。私はこの点において、明白な解決策を見つけることにした。男たちを皆殺し――すなわち、殺すか誰かに殺させるか――にしておいて、生き残った子どもたちが成長し、いつかわれわれの息子や孫たちに復讐することを許すわけにはいかない。したがって、彼らを地上から消し去るほかないという難しい決断に至った」。

偽りの透明性

しかし、ロシアや一部の国家においては、現在、まったく異なる出来事が同時進行で起こっている。スターリン体制下においては、最後の人食いを食べることが明確に合法化されていたため、見せかけを保つことができた。すなわち、数百万人もの粛清は、最後の人食いを延々と食べ続けることを意味していたのである（ここで生じる逆説は、ソポクレスの『アンティゴネー』同様、従うことに多大なリスクが伴う暗黙のルールが道徳そのものであることだ）。

プーチンの支配下で、ロシアは再び人食いを食すことを法に組みこんだ。二〇二二年十二月十五日、ロシア国会は、（ウクライナの）ドネツク州、ルハンスク州、ザポリージャ州、ヘルソン州におけるいかなる犯罪も、「ロシア連邦の利益になる」と判断されれば、「法によって処罰を与えうる犯罪とはみなされない」という議案の第一読会を行ったのだ。犯罪がロシアの利益になるかどうかの判断基準は明白に示されなかった（ロシア軍は、ウクライナの占領地で、拷問、レイプ、殺人、略奪、破壊行為など様々な犯罪を行っていると非難されている）。これがどういうことか、われわれは気づいているのだろうか？　人食いのたとえ話がすでにウクライナ戦争の批判的な分析に頻出しているのも無理はない。

「ロシア文化は、プーチンによる貪欲《どんよく》な共食いの巻き添えになっている」と述べたティモシー・ガートン・アッシュ（注：イギリスの歴史学者）が、「客観的に見て、ウラジーミル・プーチンはアメリカ帝国主義の遺いではないかと尋ねるべきときが来た」と主張するのも、もっともである。なぜなら、「プーチンが〝ロシア世界〟と呼ぶものに対して、その国の指導者である彼ほど大きなダメージを与えたアメリカ人はひとりも存在しない」からだ。カザフスタン人ジャーナリストのアルマン・シュラエフもまた、威嚇《いかく》の得意な駐カザフスタン・ロシア大使アレクセイ・ボロダフキンを痛烈に非難するさい、流暢《りゅうちょう》なロシア語で同じ旨の発言をしている。「あなたたちの愚かな行動が成し遂げたのは、ロシア嫌悪だけであり、ロシアがウクライナ同様、カザフスタンを侵略すれば、「カザフスタンの草原地帯全域が、ロシア兵の死体で埋め尽くされるだろう……あなたたちは愚か者だ。自らを食らう人食いだ」」と。

逆説的に言えば、この偽りの透明性はわれわれの道徳観念を打ち砕き、国家権力というまやかしをいっそう危険なものにする。だからこそ、ジュリアン・アサンジのような人物がこれまで以上に必要とされているのだ。長いこと生ける屍《しかばね》状態（独房に閉じこめられ、家族や弁護士との接触を最小限に制限されて、有罪判決どころか正式な罪状さえないにもかかわらず、ひたすら引き渡しを待つ身）にあるアサンジは、われわれにとってのアンティゴネーである。

なぜなら、人民のスパイとして、（ほんの一部とはいえ）アメリカ政治の忌まわしい暗黒面を競合国の諜報機関に知らせるのではなく、公の目にさらしたからである。それによってアサンジは、異なるイデオロギーや社会体制を提唱し、公には敵どうしとされている政権に属しているとしても（それだからこそなお）、世界中の権力者たちが裏でひそかに手を結んでいることを暴露した。激しく憎み合う敵どうしであるにもかかわらず、彼らは権力構造（国家機構）は機能し続けねばならないという基本前提をなんの抵抗もなく分かち合っているのだ。

改変された中国版『ファイト・クラブ』が意味するもの

デヴィッド・フィンチャーの名作映画『ファイト・クラブ』のエンディングが、二〇二二年一月、中国でビデオ発売されるさいにどう変更されたかに注目すれば、こうした競合国間の協力関係について多くを学ぶことができる。一九九九年のオリジナル版では、名前を持たない語り手（エドワード・ノートン）が想像上の理想の自己であるタイラー・ダーデン（ブラッド・ピット）を殺したあと、現代文明を滅ぼす自分の計画が果たされ、高層ビルが爆破され崩落するのを見守る。現在、中国最大手の映像ストリーム・チャンネルが配信しているバージョンでは、高層ビルが爆発する前に映画は終わる。最終シーンは、無政府状態を引き起こす彼の計画が政府によって阻止されたという英語の字幕による説明に置き換わった。「警察は邪《よこしま》な計画の全容を迅速に突きとめ、犯罪者を全員逮捕し、爆弾が爆発するのを首尾よく防いだ。裁判のあとタイラーは精神病院に送られ、治療を受けたあと、二〇一二年に退院した」と。

修正後の該当シーンには、誰の目にも明らかな新保守主義的な意味合いが含まれている。このシーンは、権力——たとえ、この場合の権力がアメリカ国家のそれだとしても——との無条件の結束を示しているばかりか、一連の騒ぎは政治的な暴動ではなく、治療されるべき精神疾患が原因の事件とみなされたのだ。皮肉なことに、中国版のエンディングは映画の原作である小説により近い。映画版のクライマックスでは、語り手が理想の自我であるタイラー・ダーデンを始末すること（自分に向かって発砲し、銃弾が頬《ほお》を貫通する）で贖《あがな》いを果たし、計画された暴力的な革命行為（クレジットカードに関するファイルを収蔵した銀行を次々に爆破する）の責任をすべて負う。ここには、精神病のかけらも見当たらない。それどころか、この時点で彼は「正常」に戻ったため、自分を痛めつける必要性がなくなり、破滅的なエネルギーを外側、つまり社会的現実に向けられるようになるのだ。

原作小説では、語り手は中国版の映画と同じく精神病院に入れられるのだが、それでもなお、成長の物語だと解釈することができる。彼が精神病院送りになったことは、成熟を狂気と捉えるわれわれの社会自体が狂っている証しにすぎない。この解釈は、語り手の行動が精神疾患の事例として切り捨てられ、社会秩序は従うべき正常なものだと捉える中国版の映画とはまるで違う。ここでわれわれが再考すべきなのは、西洋の自由主義に代わる社会主義と自らを謳《うた》う中国が、西洋自由主義社会に対して批判的な映画のエンディングを変更し、その批判的姿勢を精神病院で治療されるべき心の病に変えてしまった奇妙な事実である。

なぜ、中国はこんなことをするのか？　これまでの中国の言動と一致する答えはひとつしかない。二〇一九年十月、中国メディアは、ヨーロッパと南米でデモ（概して緊縮財政政策への抗議）が起こったのは、香港での暴動を西洋が許容したからだと主張した。『新京報』紙に掲載された論評で、中国の元外交官ワン・ジェンは「〝大混乱に陥った香港〟の壊滅的な衝撃が、西欧諸国に影響を及ぼしはじめた」と述べ、「チリやスペイン」のデモ参加者たちが香港の例に倣っていると仄めかした。『環球時報』紙も社説で、「西欧には多くの問題が存在し、多種多様な不満の底流も見られる。その多くが、香港における抗議運動のような形でいつか浮上するだろう」と同様の主旨の発言をしている。これにより、中国共産党が世界中の権力を持つ人々の結束をさりげなく利用し、自国にくすぶる不満を見くびるべきではないと西側諸国に警告して、反抗的な市民に対して彼らを団結させようとしている事実が明らかになった。まるで、様々なイデオロギー的、地政学的な緊張関係はあれど、世界中の権力者が「権力にしがみつく」という基本的な利害を共有しているようではないか。

反乱者との連帯を維持する

この事実は、ヨーロッパで現在行われている戦争にとって、どのような意味を持つのか？　その意味を考察すれば、西欧がここまで情勢を読み違えた理由がより明確に見えてくるかもしれない。当初われわれはロシアが侵攻することはないと考え、この予測がはずれると、戦争は数日で終わると思った。それから、ウクライナが強固に抵抗すると、プーチンは敗けるかもしれないと思い直し、その後、各国の制裁によってロシア経済が崩壊し、プーチン政権は倒れるだろうと考えた。ところがいま、ロシアは足場を固めつつあり、ロシア経済は順調に機能し、プーチンはいっこうに姿を消す気配がない。

この先には、より暗澹《あんたん》たる見通しが待ち受けている。二〇二二年六月、二〇一八年以来初めて直接顔を合わせたテキサス州共和党大会で、共和党員たちはジョー・バイデン大統領が「正式に当選しなかった」として認定受け入れを拒む決議を正式採択し、超党派の銃規制に関する議論に参加したジョン・コーニン上院議員を強く非難した。彼らはまた、同性愛を「異常なライフスタイル・チョイス」とする立場を承認し、テキサスの学童たちが「胎児も人間であることを学ぶよう」要求した。ジョー・バイデンが大統領に「正式に当選しなかった」と宣言する最初の決議の採択は、アメリカにおける内戦（いまのところ「冷戦」）への第一歩であることは明らかである。なぜなら、これは既存の政治秩序を正当と認めないことになるからだ。この決議と、共和党がこれまでにないほどトランプに操られている兆候、そしてウクライナ戦争による疲弊を考慮すると、懸念すべき可能性が生じる。トランプが次の大統領選に勝利してロシアと協定を結び、前者がシリアでクルド人を見捨てたように、ウクライナ人を見捨てたらどうなるのか?

二〇一三年のマイダン革命の最中に米国務省の外交官ビクトリア・ヌーランドがかけた電話の内容が暴露された。その電話で彼女は、「ＥＵなんかくそくらえ!」と発言した。これは、アメリカがウクライナで独自の目標を達成しようとしていた明白な証拠だった。

プーチンもまた、「ヨーロッパなんかくそくらえ！」という政策を何年も実行し続け、イギリスのＥＵ離脱、カタルーニャの分離主義、フランスのル・ペン、イタリアのサルヴィーニを支持して欧州解体を試みてきた。プーチンと現在のアメリカ政界における特定の傾向とを結びつける反ヨーロッパ主義は、今日の世界情勢において最も危険な要素のひとつであり、アフリカ、アジア、ラテンアメリカ諸国にとっては大きなジレンマとなっている。これらの国々がかつての反ヨーロッパ主義を踏襲し、ロシア寄りに傾けば、われわれを待ち受けるのは悲しむべき新世界だ。

様々な出来事のロシア流解釈（西側の左派の一部さえも、この解釈を受け入れている）によると、マイダン革命——二〇一三年十一月二十一日、キーウの独立広場《マイダン・ネザレジュノスチ》で起きた大規模な抗議運動から始まったウクライナによる一連のデモ活動や暴動——は、民主的に選出された政府に対するナチまがいの反乱であり、アメリカが入念に画策した政変である。言うまでもなく、この事件は多くの異なる非主流派の参加や諸外国の介入により混乱を極めたが、基本的には、正真正銘の大衆による蜂起だった。暴動の最中、キーウの独立広場は数千人の抗議者が占拠する巨大な野営地と化し、間に合わせのバリケードで守られた。そこには厨房や救護所、放送施設だけでなく、スピーチや講義、討論やパフォーマンス用の舞台も設置された。要するに、ナチの反乱と聞いて想像するものとはほど遠く、むしろ香港やイスタンブール、アラブの春（注：チュニジアでの民衆蜂起から始まり、二〇一一年にアラブ諸国に広がった民主化と自由を求める運動）で起きた出来事によく似ていた。

マイダン革命はまた、二〇二〇年から二〇二一年にかけて起こり、武力で鎮圧されたベラルーシの抗議運動と比べることもできるし、比べるべきでもある。しかし、二〇二一年の一月六日に起こった国会議事堂での暴動を、アメリカのマイダンと呼ぶべきではない。私の友人には、暴徒が国会議事堂になだれこむ光景に、大きな精神的ショックを受けた者たちもいた。「暴徒の集団が、権力の座を乗っ取ろうとしている――われわれがそうすべきなのに！　間違った人々がそうしている！」と。これこそが、ひょっとすると、右派ポピュリストが左派をあれほどうんざりさせる理由かもしれない。右派は、左派の楽しみをすべて奪っているのだ。

二〇二二年二月二十一日の、プーチンの発言を思い出してほしい。ウクライナをボリシェヴィキの創造物だと主張したあと、彼はこう断言した。

今日、（レーニンの）「恩を感じている子孫」が、ウクライナでレーニン記念碑を倒した。彼らはそれを非共産化と呼んでいる。非共産化を望んでいるのか？　よろしい。われわれの意向とも申し分なく合致する。しかし、なぜ途中でやめるのか？　われわれは、真の非共産化がウクライナにとって何を意味するかを示す用意ができている。[★85]

プーチンの理屈は明確だ――ウクライナはボリシェヴィキ（レーニン）の創造物であるから、真の非共産化はウクライナの終末を意味する。しかしこの「非共産化」は文字どおり、福祉国家の痕跡《こんせき》をひとつ残らず消し去る取り組みだと解釈すべきであることを忘れてはならない。

ここで主要な懸念について再び述べるとしよう。ロシアと中国は長いこと、自国の影響圏で民衆の反乱が起こるたびにパニックに陥り、そうした反乱は概して西欧が焚きつけた策略、あるいは外国の宣伝機関やエージェントの仕業だと解釈してきた。中国は現在、世界各地で根深い民衆の不満が存在することを少なくとも正直に認めている。問題は、中国が民衆の不満の原因を認める代わりに、この新たなイデオロギー分裂のどちら側にいるかには関係なく、あらゆる権力者の結束を求めていることだ。しかし、われわれが左派の伝統に忠実に、反乱者との連帯を維持し続けた場合はどうなるのか？

第七章　今日のウクライナにおけるレーニン

われわれは戦争を防ぐために革命を必要としている

原則に基づいて判断を下すだけでは足りず、悪い選択肢ともっと悪い選択肢のどちらかを戦略的に選ばざるを得ない状況もある。ボリビアはおそらく世界最大のリチウム含有量を誇る国であり、現在その採掘計画を立てているが、高度な環境基準を守ったとしてもリチウム採掘は環境汚染度が非常に高いことから、生態学者はこの計画に猛反対している。しかし、西側先進諸国が経済活動によってはるかに大きな規模で環境を汚染し続けるなかで、なぜ貧しいボリビアが自らを犠牲にし、石油大国サウジアラビアのようなリチウム大国となることをあきらめねばならないのか？

同じことがウクライナにも言える。交渉を要求し、道徳的な支援を行うだけでは足りない。では、われわれはどうすべきなのか。新たな世界大戦を起こすような危険を冒さず、どこまでウクライナを支援するべきなのか？　ウクライナに（これまでどおり）武器を送るべきか？　飛行禁止区域を宣言すべきか？　レーニンは、大規模な戦争が革命に必要な条件を作りだす可能性があると考えていたが、現在のわれわれは、戦争を防ぐために何らかの革命を必要としている。ロシアのセルゲイ・ラブロフ外相による二〇二二年二月の発言を思い出してほしい。第三次世界大戦が起これば核兵器が使われるだろう、と彼は言った。

プーチンがその何年も前に公言していたから、将来戦争が起こり、ロシアが地上戦に敗北すれば、彼らには先に核兵器を使う心積もりがあることをわれわれは知っている。すでに述べたように、毛沢東は間違っていた。戦いで劣勢になった張り子の虎は、本物の虎よりもずっと危険なのだ。

とはいえ、悲観しすぎてはいけない。たとえロシアがウクライナ全土を占拠するとしても、すでにウクライナでは民間人の男女に大量の銃が配布され、ゲリラ戦を行う準備が進められている。しかし、幻想を抱いてはいけないこともたしかだ。これまでのところほぼ代理人が担っているとはいえ、ロシアとNATO間の戦争はすでに始まっているのだ。ロシアはすでにボスニアとコソボに介入している。しかも、ラブロフが言ったように、ロシアの最終的な野望はヨーロッパ全土を非軍事化することである。だからこそ、原則に基づいた決断だけでなく、入念に計算された戦略的な思考と行動が必要とされるのだ。

数字のなかに意味を見出す誘惑に屈してはならない

狂信主義に基づく姿勢と非情な実利主義を統合するさいに鍵となるのは、そうした思想に付随する些細な特徴をすべて無視し、具体的な状況をたったひとつの抽象的な選択に凝縮していくような分析能力である。

二〇二二年の終わり、中国の小学五年生（十歳か十一歳）の数学問題がインターネットで急速に拡散された。「船に二十六頭のヒツジと十頭のヤギが乗っているとしたら、その船の船長の年齢は？」。中国の政府機関は、これは批判的思考を培うために出題された試験問題だと説明した。正しい答えはもちろん、「答えをだすのに必要なデータが足りない」である。しかし、中国の法律に関する知識をもとにして、大ざっぱとはいえ賢い答えを導きだした者もいた。五トン以上（二十六頭のヒツジと十頭のヤギは約七トン）の荷を積む船の船長になるには、少なくとも五年間、小型船の船長を務める必要がある。船長になれる最年少の年齢は二十三歳だから、この問題に出てくる船長は少なくとも二十八歳だ、と。

その後まもなく、同じ理由から、フランスおよびその周辺国の生徒にも似たような問題が出されていたことが明らかになった。驚くべきは、出された数字のなかに意味を見出そうと必死に努力し、答えを導きだした生徒が大勢いたことである。残念なことに、二十六＋十＝三十六だから、それが船長の年齢にちがいないという答えが最も多かった。

統計にこだわる時代においてはとくに、数字のなかに意味を見出す誘惑に屈してはならない、というのがこの話の教訓である。ふだんの生活でも、問題を解決するときには、関係のないデータを無視するよう心がけねばならない。[★86]考えるという行為には、あらゆる状況における無限の複雑さを考慮することは含まれない。むしろ、考えることは無関係なデータを排除することから始まる。これはイデオロギーであろうと、量子物理学であろうと同じだ。

たとえば、誰かが予期せず裕福になった場合、われわれは通常、その人の特徴(「彼は働き者だ、彼は非常に聡明だ」)を挙げ、経済的に成功した要因を明らかにする。粒子間の即時(光よりも速い速度)の繋がりについて読むさい、われわれのほとんどが通常の時空概念をまず念頭に置いてから、問題の粒子間を繋ぐ情報のほぼ無限のスピードを想像しようとするはずだ。急進的な解放の政治には、とりわけこれがあてはまる。というのも、こうした解放的な政略においては、人々が抱く忠誠心と徹底した実利主義および戦略的調整をうまく結びつけて大義を追求するという、絶妙な仕組みが確立されているからである。

それを最もよく示している例が、これまたレーニンである。アダム・トゥーズ(注：イギリスの歴史学者)は次のように説明している。

(一九一八年)五月十四日、レーニンは、包括的な経済協力計画を帝国主義ドイツに提案すべきだと論じ、彼自身が行った正統派マルクス主義の数々の奇異な修正のなかでも特別奇異な理論でこの案を正当化した。すなわち、ロシア革命と帝政ドイツとの緊密な同盟関係の必要性は、歴史そのものの歪んだ論理から出現したと述べたのである。一九一八年には、歴史は「特異な道をたどり……国際的帝国主義というひとつの殻のなかに存在する未来の鶏二羽のように、繫がってはいないものの並んで存在するふたつの社会主義を……生みだした。（レーニンにとって）ドイツの伝説的な戦時経済組織……は、〝社会主義に必要な経済的、生産的、社会経済的な条件を、驚くほど見事に実際の形に表したもの〟であった[★87]」

ここで注目すべきは、レーニンが言及していたのはドイツの生産力の発展ではなく、「経済組織」、つまり戦時経済中の大規模な製造企業において人々の関係を組織化する具体的な方法であったことだ。要するに彼は、社会主義がこの経済組織を引き継ぎ、国家の支配下に置くべきだと論じたのである。

レーニンがドイツとの協力関係をいかに真剣に考慮していたかは、次の事例によっても明らかである。イギリスがムルマンスクで反ボリシェヴィキ前線を確立すると、ボリシェヴィキ政府はドイツに、軍事介入、つまりイギリス軍の南下の阻止を公式に依頼した。この案にはローザ・ルクセンブルク（注：ポーランド出身のドイツの社会主義者）でさえぎょっとしたが、ドイツの煮え切らない態度により何も起こらなかった。[★88] このような逆説的な教訓は、非常に明快だ。真に解放主義的な思考を特徴づけるのは、紛争のない調和のとれた未来の構想ではなく、適切に弁証法的な対立の概念である。この概念は、自己アイデンティティを強く主張するために絶えず敵を求める（飽くなき）右派の傾向とはまったく相容れない。

ウクライナの間違いや小さな嘘のすべてを明るみに出すこと

そのような姿勢（私はそれに従う）が、今日のウクライナにとって何を意味するのか？ ひとつだけ確かなのは、二〇二二年の戦争が始まるまでウクライナ国民の大半はバイリンガルで、とくに気にせずロシア語とウクライナ語を使っていたことだ。ロシアによる侵攻は西欧の団結だけでなく、まさにロシアがその存在を否定する――ロシア人のアイデンティティと対立し、それを排除さえする――明確なウクライナ人のアイデンティティを確立する結果になったのである。一九二〇年代に起こり、その後抑えこまれた「ウクライナ化」

が、ちょうど百年を経て戻ってきたのだ。

しかし今回のアイデンティティの確立には、政治的にまったく異なる意味合いが含まれている。ウクライナとバルト海に面した数国による近年の決断には、言い訳できないものもある。たとえば、特定のナチ協力者（ユダヤ系およびロシア系囚人の大量虐殺に積極的に関与した）を、共産主義に抵抗した最初の英雄として復活させたこともそのひとつだ。二〇一九年、ウクライナ国会は一月一日を、ステパーン・バンデーラを追悼する国家記念日に定めた。バンデーラは、短期間とはいえナチによるウクライナ占拠作戦に携わった人物である。バンデーラが幹事長を務めていたウクライナ民族主義者組織（OUN）で彼を支持する人々の一部は、ユダヤ人に対して数えきれないほどの戦争犯罪を行った。それにもかかわらず、バンデーラは元大統領ヴィクトル・ユシチェンコによってウクライナの英雄として祭り上げられ、国内各地に彼の彫像が建てられたのだ。バンデーラの生まれ故郷であるリヴィウが二〇一九年を「ステパーン・バンデーラの年」だと宣言すると、イスラエルで猛反対の声があがった。また、ウクライナのテレビおよびラジオ放送国家委員会は、スウェーデン人の歴史家アンデシュ・リデルの著書『ナチ 本の略奪』が「民族的、人種的、宗教的な憎悪を煽る」として発行を禁止した。同じく民族主義者で、ユダヤ人を大虐殺した部隊の指揮を執っていた[89]シモン・ペトリューラの活動に関するリデルの批判的分析を、国家委員会がそう断定したのである。ウクライナの急進的民族主義者たちが、公共の場でロシア語の使用を禁止したことも忘れてはならない。

こうしたウクライナの姿勢こそが、イスラエルが現在進行中のウクライナ戦争においてロシアを糾弾せず、中立を維持している理由である。ウクライナが真の解放への道を見つけ、「文明的な」国々に加わるつもりであれば、最初の一歩として、とりわけ「非文明的な」行為と言えるホロコーストへの関与を認め、処断しなければならない。

致命的な誤解を避けるために言っておくが、私は「手が汚れていない者などひとりもいない」などという胸糞悪くなるような理屈でロシアによるウクライナ侵攻を相対化するつもりはまったくない。ロシアは信じがたいほど恐ろしい行為を犯した。それは紛れもない真実だ。しかし、ジャン゠クロード・ミルネールは、スターリン主義で最高潮に達した現代ヨーロッパの変革という難局を明快に分析するなかで、正確さ（事実に基づく真実、事実の正しさ）と真理（われわれが熱心に取り組む大義）を隔てる根本的相違について、こう論じている。

正確さと真理の根本的相違を認めたとき、残るのは、そのふたつを対比させてはならないという倫理的原理のみだ。不正確なものから、真理がもたらす影響という特権的手段を作りだしてはならない。これらの影響を嘘が生む副産物に変えてはならない。現実のことを、現実を征服する道具にしてはならない。★90

この一節をウクライナにあてはめると、次のような意味になる。われわれは混乱や曖昧さ(「いまは、ウクライナの暗黒面を引き出すのに適切なときではない」などの意見)に惑わされ、この状況の基本的な真実とそれがもたらす選択(ウクライナへの支援)が事実を曇らせることが決してないよう、心すべきだ。ロシアによるウクライナ侵攻の理由は嘘だが、これらの嘘は時として小さな真実を含む。したがって、こうした嘘は公に検証されるべきだ。また、ウクライナの間違いや小さな嘘(たとえば、ときおりロシア文化の偉大さを否定するなど)のすべてを明るみに出すことは、ウクライナ人自身のためになるばかりか、彼らの大義を推進するうえでも益となる。それらを否定するか無視するのは、ウクライナの大義はそのような嘘によってしか維持できないと認めているも同然である。ウクライナ人は、そのような扱いを受けるいわれはない。ウクライナ人の大義の偉大さを示す素晴らしい行動は、小規模とはいえ数多く存在するのだ。

第八章　ヒマワリの種がたっぷり入った ポケットから、何が育つのか？

ウクライナにおけるロシア兵

ロシアのウクライナ侵攻が始まった最初の週、マイケル・マーダー（注：環境思想などを専門とする政治哲学者）は、サロン誌に素晴らしい論説を投稿した。なぜ素晴らしいのかというと、ウクライナでの惨状に対する人々の反応に深い哲学的な意味を加えるという、いま最も必要とされていることを成し遂げたからである。[★91] この論説を読んだとき、私の頭にはアガサ・クリスティのミス・マープル・シリーズの一作、『ポケットにライ麦を』が浮かんだ。そのなかでは、ロンドンに住む裕福な実業家が朝の紅茶を飲んで死亡する。彼の衣服を調べると、上着のポケットから大量のライ麦が見つかる。その後、犯人が殺人のテーマとした童謡の歌詞に「ポケットいっぱいのライ麦」という一節が含まれていることが判明する。

ウクライナでも、不気味なほどよく似た出来事が起こった。もっとも、ライ麦ではなくヒマワリの種だったのだが。マーダーはこう書いている。アゾフ海の港町ヘニチェスクで、重装備のロシア兵と遭遇したウクライナ人の老女が、ポケットに入れてはどうかとヒマワリの種を差しだした。彼が死んだあと、土のなかで朽ちていく彼の体が植物の栄養となり、その種が育って花開けば、少しはその死が価値あるものになるだろう、と。[★92]

この話を聞いて私は、老女がロシア兵に対してまったく同情心を持っていないことに動揺した。そうした兵士の多くは適切な量の食糧や支給品も持たず、自分たちがどこにいるのかも、なぜそこにいるのかもわからぬまま、ウクライナでの任務に送りこまれた。ウクライナ国民がロシア兵に食糧を運んでいるという報道もあったほどだ。その報道を見たとき、一九六八年のプラハで私が経験した出来事が思い出された。ソ連の侵攻が始まる前日にプラハ入りした私は、外国人の移動手段が確立されるまでの数日間、街を歩き回っていた。そこで目にしたのは、将校たちとはまるで異なる待遇を受け、食糧も装備も満足に与えられていない混乱した一般兵たちだった。彼らはデモに参加している私たちよりもはるかに、指揮官である将校たちを恐れていた。

真実の巧妙な隠し方

現在のように狂っている時代においてすら、われわれは残された正常さの名残にしがみつき、ポップ・カルチャーを引き合いに出すことを恥じるべきではない。というわけで、ここでもうひとつ、アガサ・クリスティの名作『ホロー荘の殺人』に言及したい。この物語では、変わり者のルーシー・アンカテルが、ある週末クリストゥ夫妻（ハーリー街きっての腕利き医師ジョンとその妻ガーダ）を、親戚とともに屋敷に招待する。エルキュール・ポアロ（近くのカントリー・コテージに滞在している）もまた、食事に招待された。翌朝ポアロは、奇妙に仕組まれたように見える場面に出くわす。プールのなかに血を滴らせているジョンの死体の横で、ガーダ・クリストゥが銃を手に立ち尽くしていたのだ。ルーシー、ヘンリエッタ（ジョンの愛人）、エドワード（ルーシーのいとこで、ヘンリエッタのまたいとこ）もその場に居合わせた。ジョンは最後に「ヘンリエッタ」と訴えるように口にしてから息絶え、ガーダが殺人犯であるのは一目瞭然のように思われた。

ヘンリエッタが進みでてガーダの手から銃を取りあげるも、誤ってそれをプールに落とし、証拠が消えてしまう。やがてポアロは、死にゆく男が口にした「ヘンリエッタ」という愛人への呼びかけは、妻が自分を殺した罪で逮捕されるのを防いでくれという愛人への懇願だったことに気づく。意識的に計画したわけではないものの一家全員がこの筋書きに加わり、ポアロの捜査を攪乱《かくらん》する。彼らはみなガーダが殺人犯だと知っていて、彼女を救おうとしているのだ。

『ホロー荘の殺人』は、通常のミステリーの形態を巧みに逆転させた推理小説だ。普通はまず殺人が起こり、殺害の動機と実行する機会のあった容疑者たちが登場する。そして犯人は明らかに思えるにもかかわらず、刑事は真犯人が自分の痕跡を隠すために用意した犯罪現場が偽りだと暴く手がかりをつかむ。しかしこの作品では、一見犯人と思われる人物、殺人現場で銃を手にしているところを見つかった人物が真犯人であることを隠蔽《いんぺい》するため、容疑者たちのそれぞれが自らを陥れるような手がかりを捏造する。犯罪現場はたしかに仕組まれたものだが、その細工は慎重になされたもので、細工したように見えること自体がまやかしなのだ。真実が偽物の皮をかぶっているため、本物の嘘が「手がかり」となる。あるいは、ジェーン・マープルがアガサ・クリスティの別の名作小説『魔術の殺人』のなかで言ったように、「明らかに見えることを侮《あなど》ってはいけない」のである。

イデオロギー、とりわけ今日のイデオロギーがどう機能するかについても、同じ教訓を心に留めるべきだろう。イデオロギーは、大っぴらに行っている（あるいは正当化している）犯罪を隠蔽するために、わざと謎めいた仮面をかぶり、隠された状況が真実であるかのように見せる。だからこそ、ときには隠された「複雑さ」を無視して、目の前にある事実を信じるべきなのだ。

必要なのはグローバリゼーションの抑制ではなく推進だ

では、いま実際に何が起こっているのか？　忘れもしない、パンデミック以前は気候危機が頻繁に見出しを飾っていた。その後、新型コロナウイルスの出現によって連日の報道はパンデミック一色になり、気候変動はすっかり影を潜めた。しかし、ロシアによるウクライナ侵攻が始まると、今度はパンデミックのニュースがぱたりと途絶え、見出しはウクライナ戦争で埋め尽くされている。われわれは現在、むしろ以前よりもはるかに大きな、激しい恐怖を感じているため、パンデミックと闘っていた古き良き二年間が、あるいは遠い未来に思える地球温暖化が唯一の脅威だったそれ以前の時代が、懐かしく思えてくるほどだ。この突然の変化は、われわれの自由の限界を示している。誰ひとり、この変化を選んだわけではない。変化はただ起こったのだ（陰謀論者によると、ウクライナ危機は緊急事態を継続させて人々を支配下に留めておくための新たな企みらしいが）。

病原菌や熱波、干ばつ、飢饉、洪水による恐ろしい脅威がいままさに起こりつつあるのに、二〇二三年現在、われわれはロシア・ウクライナ戦争により身動きがとれない状態にある。左派の一部でさえすっかり騙され、プーチンとアレクサンドル・ドゥーギンがグローバル資本体制に反対し、単純化できない民族文化アイデンティティの多様性を提唱していると思いこんでいるが、ドゥーギンが提唱するのは民族アイデンティティに基づいた多様性であり、民族集団に内在する多様性ではない。だからこそ、彼らにとって「それを決められるのは戦争のみ」なのだ。原理主義的な民族アイデンティティの台頭は、グローバル資本の対極にあるのではなく、グローバル資本というコインの裏側なのである。その意味で、グローバリゼーションの抑制ではなく推進こそが、いままさに必要とされているのだ。われわれが直面している脅威、そのなかでも最大の危機である地球温暖化に真剣に取り組むためには、これまでにない規模のグローバルな連帯と協力が必要となる。

G・K・チェスタトンは、「スーパーナチュラルなものを取りのぞけば、アンナチュラルなものしか残らない」と書いている。この声明は支持されるべきだが、チェスタトンが意図したのとは反対の意味において、つまり、自然とは「アンナチュラル（不自然）」で、内在するリズムも理由もなく偶発的に大混乱を起こす見世物小屋のようなものであることを受け入れるべきだ。二〇二一年六月の終わり、アメリカ北西部とカナダ南西部を覆った「ヒートドーム」――停滞する高気圧が広範囲にわたって上空を覆い、高温の空気を閉じこめた状態になる現象――によって気温が摂氏五十度近くまで上昇し、バンクーバーは中東よりも暑くなった。たしかに「ヒートドーム」は局地的な現象ではあるが、自然のサイクルに人間が介入したことによって引き起こされた地球規模の異常であることは明らかだから、地球規模の対策を講じなければならない。

ロシアをファシズムに押しやったのは誰か?

もちろん、ウクライナにおける戦争は比較的重要でない局地的な紛争として扱われるべきだ、などと述べているわけでは決してない。私が言いたいのは、われわれは常にグローバルな視点を維持し、いま行われている戦争をほかの様々な危機のひとつと捉え、グローバル資本主義の緩やかな解体にとってそれが何を意味するのかを理解すべきであるということだ。

そのために何ができるのか? プーチンから何を学べるのか? 戦争が始まった翌日から翌々日、プーチンが平和交渉を手っ取り早く終わらせるために、ゼレンスキーの率いる政府を転覆させて乗っ取るよう、ウクライナ軍に呼びかけたことは前述のとおりだ。ひょっとすると、ウクライナではなくロシア国内で同じようなことが起これば、事態は好転するのではないか(一九五三年、ジューコフ元帥は実際に、政治家ベリヤを打倒するフルシチョフに手を貸した)。これは、プーチンを悪魔呼ばわりすればいいということだろうか? そうではない。これまで述べてきたように、真の意味でプーチンに反撃するには、まずわれわれ自身を批判的な目で見つめ直す勇気が必要だ。

自由主義の西側諸国は、この三十年間ロシアと様々な駆け引きをしてきた。ロシアをファシズムに押しやったのは、実質的に西側諸国ではなかったか？　エリツィン時代、ロシアは西側から経済に関する壊滅的「助言」を与えられたことを思い出してほしい。たしかにプーチンはこの戦争の準備をかなり前から進めていたが、西側諸国もそれを知っていた。つまり、この戦争は決して、予期せぬ衝撃的な出来事などではなかったのだ。実際、西側が意識的にロシアを追い詰めたと信じるに足る理由も存在する。ロシアのウクライナ侵略を正当化する理由にはまったくならないが、彼らが抱いているNATO加盟国に囲まれる恐怖は、偏執的な妄想とはほど遠い。ハンガリーのオルバーン・ヴィクトル首相その人の発言に、真実が含まれている。

この戦争はいかにして起こったのか？　われわれは、地政学的な強国による十字砲火のただなかにいる。NATOの東方拡大が進むにつれ、ロシアは不快感を強め、ふたつの要求を出した。ウクライナが中立を宣言することと、NATOがウクライナの加入を認めないことである。安全保障に関するこれら二点の要請が受け入れられなかったため、ロシア側は軍事行動に踏み切ったのだ。それがこの戦争の地政学的な意味である。[93]

言うまでもなく、この小さな真実は、大きな嘘を覆い隠している。実際のところロシアは、常軌を逸した地政学的な駆け引きをしているのだから。しかし、われわれは決してこれらの詳細を無視してはならないし、些細なことだと片づけるべきではない。同様に、大きな真実のために小さな嘘を無視したいという誘惑にも屈してはならない。現在の状況を考えると、これこそが批判的分析を妨げるタブーを設けてはならない理由である。

これまで目にしてきたように、ウクライナ側を無条件に信頼できないことも明らかで、ドンバス地域における状況が明白とはとうてい言いがたいこともたしかだ。さらに、ロシア人芸術家の締めだしは狂気の沙汰に等しい。戦争が始まったあと、イタリアのミラノ・ビコッカ大学でパオロ・ノリが教鞭をとるドストエフスキー作品に関する一連の講義が、あまりにプーチン的だという理由により、状況を落ち着かせるための予防措置として休講になった[94](数日後、講義は再開された)。しかし、ロシアとの文化的接触は現状において何よりも重要である。戦争から逃げだしたウクライナ人だけを受け入れ、ウクライナで暮らしていた第三世界出身の学生や労働者を受け入れないという超特大スキャンダルについても、同じことが言える。

ウクライナの惨状に対して特派員や解説者が抱く恐怖は理解できるが、実に曖昧でもある。恐ろしい惨事が第三世界の外でも起こりうること、テレビで観るだけではなく自国でも起こりうることだと気づき、安全に暮らすためにはあらゆる場所で独裁主義勢力と戦わねばならないという意味にもとれるが、そうした恐怖は遠く離れた場所に留めておこう、自分たちの身の安全を確保しなければ、という意味にもとれる。たしかに、彼らの言うとおり、プーチンは戦争犯罪者だ。しかし、われわれがそれに気づいたのは、つい最近のことだろうか？　数年前アサド政権を救うために、ロシアがシリア最大の都市アレッポを、現在のキーウにおける攻撃とは比べものにならないくらい容赦なく爆撃したとき、プーチンは戦争犯罪者となったのではないか？　われわれはそのときすでにわかっていたが、当時の西側諸国の憤慨は、道徳的かつ言葉のみの糾弾でしかなかった。「自分たちと同じ」ウクライナ人に対するはるかに強い同情心は、解放主義の政策を「帰属」意識——スピノザが超個的（注：集団的に共有された経験またはアイデンティティを伴う、個人を超えた状態）な

「感情の模倣」と呼ぶものによって支えられている――に根付かせたいというフレデリック・ロードンの試みの限界を示している。しかし、われわれは互いに情緒的な絆を持てない相手とも、連帯感を築かねばならないのだ。

ウクライナは、ソビエト崩壊後に誕生した国々のなかで最も貧しい。たとえウクライナ人が――願わくば――勝利しても、そのあと彼らにとって正念場が訪れるだろう。西側の自由民主主義自体が大きな危機に陥っているいま、彼らは西欧諸国に「追いつく」だけではじゅうぶんではないという教訓を学ばざるを得ない。「非文明的な」ものを締めだす形態のヨーロッパが勝利を収めれば、ロシアに破壊されるまでもなく、われわれは自滅することになるだろう。

第九章

倫理観の衰退を示す紛れもない兆候

「血だらけの小包」はなぜ届いたか

倫理的に進歩しているかどうかを測る最も確実な目安のひとつは、特定のドグマティズム（注：独断主義または教条主義）の台頭である。正常な倫理観が保たれている国では、たとえばレイプや拷問に関して、それが許容できるか否か、許容できるとしたらどのような場合か、などが議論されることはない。一般市民はレイプや拷問が問題外であると「独断的に」受け入れ、その種の行為を提唱する者は常軌を逸しているとみなされる。ゆえに、レイプについての議論（「合法的レイプ」は存在するのか？）が始まるか、あるいは拷問が黙認されるだけでなく公に行われることが、倫理観の衰退を示す明白な兆候となる。

今日、これまでは想像もできなかったような事態が起こりはじめている。最新の例を挙げると、二〇二二年十一月、エフゲニー・プリゴジンが、テレグラム（注：メッセンジャーアプリ）で配信された未確認のビデオに関して声明を出した。そのビデオには、かつて囚人だったロシア人で、その後ワグネル・グループの傭兵として強制的に徴集されたエフゲニー・ヌーチンと思われる人物が、九月に「ロシアの敵」側についたことを認めたあとに処刑される様子が収められていた。ヌーチンの説明によると、彼は十月十一日にキーウで誘拐され、地下室に連行されたという。その説明のさなか、戦闘服を着た身元不詳の男が背後に現れ、彼の側頭部にスレッジハンマーを叩きつけた。このビデオは、「復讐のハンマー」と題して投稿された。処刑ビデオに関するコメントを求められたプリゴジンは報道官を通じて、「犬死にする(不名誉な死を遂げる)犬[★95]」という題名にすべきだと述べた。

この話には続きがある。二〇二二年十一月末、プリゴジン率いるワグネル・グループが自分たちをテロリスト呼ばわりした欧州議会に、ヴァイオリン・ケースに入った「血だらけの」スレッジハンマーを送りつけたのだ。彼らはその後、ワグネルに雇われたスーツ姿の弁護士が殺風景な部屋に入り、ヴァイオリン・ケースをテーブルに置くビデオを公開した。弁護士がケースの蓋を開けると、ピカピカに磨かれたスレッジハンマーが見える。頭部にはワグネルのロゴが刻まれ、柄《え》の握り部分には血を模した赤いペンキが塗られていた。プリゴジンは、議員たちが決断を下す前の参考「情報」として欧州議会にハンマーを送ったとコメントしている。[★96]アル・ジャジーラはのちに、次のように報じた。

ウクライナの高官は、欧州六か国のウクライナ大使館および領事館に、動物の目玉の入った小包が届いたと述べた。オレグ・ニコレンコ外務報道官がフェイスブックに投稿した書きこみによると、その「血だらけの小包」はハンガリー、オランダ、ポーランド、クロアチア、イタリアのウクライナ大使館および、イタリアのナポリ、ポーランドのクラコウ、チェコのブルノにある領事館に届いた。[97]

各国のメディアが、ＩＳＩＳによる囚人の公開処刑（自白させたあと、ナイフで喉をかき切り、一部始終を収めた映像をウェブサイトに投稿した）を引き合いに出し、「プーチンの私兵が完全にＩＳＩＳ化した」[98]証拠だと書きたてたのも無理はない。また、イランがいまロシアと緊密な同盟関係にあることも、まったく不思議ではない。なぜなら、両国ともに同じ方向に突き進んでいるからだ。近年イランでの抗議運動に参加した罪で逮捕および処刑された者のなかには、若い女性が数百人含まれていた。いまだに「青少年犯罪者」を処刑する数少ない国々のひとつであるイランで刑事責任に問われる年齢は、男性は十五歳だが、女性は九歳だ。イランの法律では、未成年者の処女の死刑執行は禁止されているものの、オーストラリアの報道によると、この障害は、「処刑前夜、少女を看守と結婚させて強姦させることで克服されてきた。これは過去数十年にわたり、ジャーナリストや家族、活動家ばかりか、元指導者によっても記録されている[99]行為だ」。

西欧のイデオロギー闘争の内実

いまや状況はさらに歪んでいる。イスラエル（誇りをもって民主主義国家であると主張している）が、近隣のアラブ原理主義諸国によく似た、宗教的な原理主義国家へと変貌しつつあるのだ。

イスラエルのネタニヤフ政権でイタマール・ベン・グヴィルが国家安全保障大臣を務めている事実も、その一例だ。政界に入る前、ベン・グヴィルは自宅の居間にイスラエル系アメリカ人のテロリスト、バールーフ・ゴールドシュテインの写真を飾っていることで知られていた。ゴールドシュテインは、一九九四年にヘブロンでパレスチナ人のイスラム教徒二十九人を殺害し、百二十五人を負傷させたマクペラの洞窟虐殺事件を起こした男である。ベン・グヴィルが政界に入ったのは、イスラエル政府にテロ組織とみなされ、違法とされたカハ党とカハネ・ハイ党の若者運動に加わったことがきっかけだった。十八歳でイスラエル防衛軍に徴兵されたベン・グヴィルは、極右組織に身を置いていることが問題視され、兵役への従事を禁じられたが、二〇二二年に行われたイスラエル立法選挙では、彼の所属するカハ党は二〇二一年の倍以上の票を獲得し、第二十五回クネセト（注：イスラエル国会）における第三党になるという空前の快挙を成し遂げた。[*100]

同じく衰退の兆候として、次の例が挙げられる。「ブレイズ」によるインタビューで、ネタニヤフは最近、こう語っている。

> 反ユダヤ主義は、恐ろしく有害な新形態を呈するようになった。なぜならば、反ユダヤ主義という表現はファッショナブルではないからだ。現在は、「反シオニストだ」と言う――「反イスラエル」ではなく、「私は反シオニストだ。反ユダヤ人ではないが、彼らが独自の国家を持つべきではないと考えている」と。これは、「反アメリカ人ではないが、きみがアメリカ人でいるべきではないと思うだけだ」と言うのと同じことだ[★101]。

後者の比較は、「私は反パレスチナ人ではないが、彼らが独自の国家を持つべきではないと思うだけだ」と言い換えるのがより適切に思えるが、そうなると重要な疑問が生じる。イスラエルのヨルダン川西岸《ウエストバンク》占領を批判するのは、イスラエル国家の生存権を否定することになるのか？　また、さらに恐ろしい疑問も生じる。昨年ユダヤ人への暴力行為が世界中で増加したことを記録したディアスポラ省による報告が発表された数時間後、ネタニヤフは、ヨーロッパのイスラム教徒と左派内で増大する反ユダヤ主義に立ち向かうよう呼びかけた。[★102] ネタニヤフはなぜ、極右の反ユダヤ主義をそのなかに含めようとしないのか？ その答えは、彼が極右派を必要としているからだ。西側の新右派はそれぞれの自国では反ユダヤ主義だが、イスラム教徒の〝侵略〟を食い止めるイスラエル国家の生存を断固として支持している。彼らが反ユダヤ主義のシオニストであることは、厳然たる事実だ。

似たようなケースはほかにも数多く見られる。たとえばポーランドの首相で「法と正義」党を率いるヤロスワフ・カチンスキは近年、ポーランドの低出生率の主な原因は、若い女性がアルコールを摂取しすぎることだと発言した。[★103] 社会経済状態とは関係なく、たんに女性の飲みすぎが原因だ、と。私はそうは思わないが、百歩譲ってカチンスキの主張にわずかな真実が含まれているにせよ、どのような社会的圧力が女性をアルコールに走らせているのかを探るべきで、「ＬＧＢＴ＋のイデオロギー」に責任をなすりつけるのは愚の骨頂である。

「まともな」自由民主主義がいまだ優位を占めるなか、急進左派は嬉々として、それが忌まわしくも暴力的な真実を覆う仮面にすぎないと指摘する。だが、私はこう言いたい。「もう一度仮面をつけてくれ！」と。

不幸にも、このすべてが一面的な言い分にすぎない。現在、世界には大まかに見て、敵対する二大イデオロギー・グループが存在する。信心深い新保守派（プーチンとトランプからイランまで）は「悪魔的な」ポストモダン・デカダンス——たいていはLGBT＋やトランスジェンダー問題——に否定的で、正統派キリスト教（あるいはイスラム教）の伝統への回帰を提唱するが、実際の政策は野蛮な卑猥さと暴力に満ちている。

一方、ポリティカリー・コレクトな自由主義左派は、あらゆる性的指向および民族アイデンティティに寛容になれと説く。しかし、その寛容さを保証するために、次々に規則——さらなる「キャンセル（注：不当な追放やボイコット）」や規制——を増やす必要性が生じ、表向きは幸せで寛容な世界であるが、その裏では常に不安や緊張が渦巻いているのが実情だ。こうした制限は、ある意味で、父親に禁止されると余計にやってみたくなる種の制限よりもずっと強力であり、真の解放という目的の助けとなるどころか妨げとなる。ときに内戦が起こりそうなほど高まる西欧のイデオロギー的闘争を考慮せずして、「民主主義の」西側諸国がウクライナ戦争に示した支離滅裂な反応を理解することはできない。

寛容さが反転するとき

デュアン・ルーセル（注：カナダのラカン派精神分析家）による「〈一体〉が存在しない〈多数〉の時代における人種差別主義」という「ウォーク（woke）」の説明は、一見、問題があるように見えるかもしれないが、実に的を射ている。人種差別主義者――〈一体〉の結束を脅かす見知らぬ侵略者（われわれの〈国家〉に入ってきた移民やユダヤ人など）に敵対する人々――の典型的な姿勢とはほぼ正反対に位置する「ウォーク」な人々は、かつての〈一体〉の形態（言い換えると「愛国主義者」、家父長制的な価値観の弁護者、ヨーロッパ中心主義者……）への執着を完全に捨てきれていないと思われる人々に対して否定的な反応を示す。

ウォークの提唱する「新たな世界秩序」では、あらゆる性的指向が受け入れられるが、ひとつだけ例外がある。シスジェンダー（注：出生時に割り当てられた性別と自認する性別が一致し、それに従って生きる人のこと）の白人男性だ。したがって、ほかの人々（シスジェンダーの女性も含め）は、自分自身（が感じているまま）でいることを許される一方で、シスジェンダーの白人男性は自分自身でいること、「ありのままの自分でいることを心地よく」感じることに罪悪感を覚えるよう仕向けられる。この姿勢は、現在、世界中で次々に起こっている奇妙な出来事にもはっきり表れている。

ゲティスバーグ大学の一件に注目してみよう。二〇二二年にこの大学は、「シスジェンダーの白人男性にうんざりしている」人々のためのイベントを企画していたが、当然ながら大きな反発が巻き起こり、イベントは延期された。ジェンダー・アンド・セクシュアリティ・リソース・センターが主催することになっていたこのイベントでは、「出席者は、〝自分自身でいることを心地よいと思っている〟白人男性に対する苛立ちを〝絵や執筆作業を通して表現する〟ことを奨励された」[104]。予想どおり、多くの人々が、人種差別主義的だと大学を非難した。同イベントには、おそらくシスジェンダーの白人男性たちの参加も期待されていただろうが、彼らは自身に批判的な姿勢を示し、白人でいることの不快感と自身の性的指向に対する罪悪感を述べる役割を果たす予定だったと思われる。

こうした出来事から、ウォークなキャンセル・カルチャー（注：特定の人物・団体の反社会的言動を問題視し、追放運動や不買運動などを起こすこと）におけるノンバイナリー（注：身体的性に関係なく自身の性自認・性表現に「男性」「女性」といった枠組みをあてはめようとしない人を指す）の流動性は、実際はその正反対でもあるという逆説が説明できる。パリの権威あるエコール・ノルマル・シュペリウール（高等師範学校）は、性的アイデンティティとして多様性を選んだ人々専用の通路を寮に設け、シスジェンダーの男性（自分自身を「男」だと認識しており、さらに生まれ持った性別も「男」である者）は立入禁止にすべきだという提案について話し合いを行った。[*105] この提案には、たとえば基準に満たない者は通路に一瞬でも立ち入ることを許されない、というような一連の厳しい規則が含まれていた。しかし、そうなると境界線を何度も変更しなくてはならない可能性が生じる。もっと細かい条件で自分のアイデンティティを主張する個人が増えれば、彼ら専用の通路を設けねばならなくなるからだ。

この提案には、留意すべき特徴が三つある。第一に、立入を禁止されるのはシスジェンダー男性のみで、シスジェンダー女性は許可されていること。第二に、その判断基準が、客観的な分類基準ではなく主観的な自己判断に基づいていること。第三に、さらなる分類の細分化が求められること。すなわち、適応性、選択、多様性を強調することにより、最後には固定化された新しいアイデンティティ・ネットワーク、つまり新たなアパルトヘイトとしか言いようのない事態を招くことになる。これは、ウォークな姿勢からくる寛容さが一転して、禁じることが通常の状態になってしまった顕著な例である。ポリティカリー・コレクトな政権では、判断基準が常に曖昧であるため、いつキャンセルされたのか、実際に自分の行動もしくは発言のせいでキャンセルされたのかどうかさえわからないこともある。

ウォークネスという「偽りの避難所」

ウォークな左派は蛮行の新形態に声高に反対するものの、実際のところ、全面的にそれに関与し、皮肉でもなんでもなく退屈な議論を奨励し実行しているのだ。多様性を支持し、違いを奨励しているにもかかわらず、その発言の主観的立ち位置、すなわち彼らが発言している立場は非常に権威的であり、他者の意見をほぼ受けつけず、個人的な判断で他者を強制的に排除することも少なくない。支離滅裂な状況ではあるが、ウォークネス（注：社会的不公正、人種差別、性差別などに対して高い意識を持つこと）とキャンセル・カルチャーは事実上、学界という狭い世界（そして、ある程度はジャーナリズムのような知的職業）に限られ、一般社会と反対方向に向かっていることを常に心に留めておかねばならない。パラノイアを生じさせかねないキャンセル・カルチャーは、LGBT＋の人々が実生活で直面するトラブルや悲劇、絶えずさらされている暴力や疎外を補おうとする必死の（しかし、明らかに不十分な）試みなのだ。この暴力への答えが、文化的な要塞へ逃げこむことであってはならない。なぜならこの「要塞」は、支離滅裂で極端な不寛容が、それに対する多数の抵抗を温存し強化する、偽りの「避難所」であるからだ。

ウォークネスが学問の世界や文化生活から消えつつあると主張する人々もいるが、私は逆に、徐々に「正常化」され、内心ではその信条を疑う人々にすら広く受け入れられ、教育および国家機関の大半で実践されるようになってきていると思う。だからこそ、その対極にある新ポピュリストと宗教的原理主義という忌まわしい概念を非難するだけでなく、ウォークネスにも批判の目を向けねばならない。

キャンセル・カルチャーの最悪のケースには、明らかに原理主義的思考が見てとれる。たとえば、誰かの何気ない言動が許しがたい過ちとして広められるという、予期せぬ事態が起こる可能性もある。すなわち、特定のケース（たとえば、誰かが用いた表現）が、明白で普遍的な規則にそぐわないというのではなく、普遍性の意味そのものが変えられてしまう可能性があるのだ。不愉快きわまりない右派ポピュリストがしきりに、特権的な対象──ラカンが「hainamoration（憎愛恋着化）」（注：愛と不可分な憎しみによって女性に惚れこみ、固執することでのみ男性は存在できるとする、男性の側からの女性的対象に対する享楽のあり方）と呼ぶ、人が愛すると同時に憎むもの──という立場に甘んじているとポリティカリー・コレクトな活動家を批判するのは、そのためである。

セルビア人の知り合いと話しているとき、私はこれと同じ姿勢に気づいた。セルビア人は何かにつけて、世界の人々が彼らを嫌っていると文句を言う。自分たちはスレブレニッァで凶悪犯罪を行った「民族浄化実行者」だと思われている、と。しかし、本当にそうだろうか？　のけ者として扱われているというこの疎外感は、自己防衛的な反応ではないか。実際は、いま世界の人々はほかの問題で頭がいっぱいで、セルビア人（そして右派ポピュリスト全般）のことなど気にかけてはいない。おそらくセルビア人の文句の裏には、たとえ憎しみの対象であれ、自分たちが注目の中心にいたいという必死の願望が隠れている。無関心よりは憎しみのほうがましなのだ。要するに、セルビア人たちは実際のところ、自分たちがもはや「hainamoration」の興味をそそる対象でなくなったことを寂しく思っているのである。

第十章　偽の目覚めに騙されるな

新たな普遍性の強制

実に嘆かわしいことに、ウォークネス（ウォークであること）には社会生活に内在する確執や対立を覆い隠している痕跡が数多く見てとれる。しかも、それが原因で「敵」の存在が必要になっている。

代名詞「ゼイ（注：They。彼ら、彼女らといった複数の人々を指すだけでなく、ジェンダーニュートラルの代名詞としても使われる）」の使用に関する今日の主張を考えてみよう。この主張は、日常的な言葉遣いの変更よりもはるかに重大な意味を持つ。というのも、性別を特定しない人称代名詞の導入は、人間にとって新たな普遍性が生まれる可能性を示唆しているからだ。二〇二三年二月、イギリスのケント大学は、代名詞に関するガイダンスを学生と職員に提示した。どの代名詞が適切なのかはっきりわかるまでは、誰もが「ゼイ」と呼ばれるべきだ、と。大学側は、同ガイダンスはあくまでも指針であり学則ではないと述べ、有用なリソース、および校内に「真正の包括的文化」を創りだすサポート・ツールとして活用するためにあると説明した。[★106] 次に挙げるのは、オンライン・フォーラムに投稿された、この説明に対する最初の的確な反論である。

「ゼイ／ゼム」の代名詞を選択肢に含むことに、まったく問題はない。だが、それを**唯一の**（第一の）選択肢にするのは、明らかに間違っている。たんに「ゼイ／ゼム」を選択肢に含むのはかまわないが、伝統的な代名詞を（第一の選択肢から）**除外する**ことには問題がある。多くのトランスジェンダー（注：生まれたときに割り当てられた性別と、自身で認識する性が一致していない人を指す）の人々は、「シー／ハー（彼女）」あるいは「ヒー／ヒム（彼）」と呼ばれることを好む点を考慮すると、全員を「ゼイ／ゼム」とするのは、ノンバイナリーの人々にとっては望ましいとしても、大半のトランスジェンダー**あるいは**シスジェンダーの人々にとっては包括的とは言えない。トランスジェンダー女性のほとんどは、女性代名詞（シー／ハー）を使い、トランスジェンダー男性のほとんどは、男性代名詞（ヒー／ヒム）を使うはずだ。[*107]

ここで問題となるのは、大半の人々が使う代名詞を二次的に、つまり下位にすることが「真正の包括的文化」とする考え方である。大学側が提案したこの変更は見かけよりもずっと急進的だ。この提案によってジェンダーニュートラルな言葉としての「ゼイ」がたんなる選択肢ではなく万人にとっての中立で普遍的な基盤となれば、もはや多様性への配慮ばかりか、新たな普遍性の強制という問題に対処しなければならなくなる。この新たな普遍性とは、われわれはみな「ゼイ」であり、一部の人々が「ヒー」か「シー」を追加で選ぶことができることを意味する。

では、最初からこの解決策を含めればいいだけではないか？　しかし、「ゼイ」を優先すれば、男女二元論に基づく区別どころか、人類における相反する存在（生物学的な男女の区別）としての性別自体が失われてしまう。性別のない「人間」は存在しないため、この普遍性が確立されるなかで対立や失敗が起こり、結局、「ゼイ」を基本とした画一的な普遍主義となる……しかもこの画一的な普遍主義にも当然ながら敵が必要とあって、同意しない者は即座に同性愛嫌悪だ、反動的だと批判されることになるのだ。

極右と極左の驚くべき協調関係

このような短絡的な思考がどういう結果を引き起こすかは、日に日に明白になっている。スコットランドで起きた最近の出来事を例に挙げよう。

二〇二二年十二月、法的な性別変更を簡易化して診断書を不要とし、ジェンダー認定証明書の申請年齢を十六歳に引き下げる計画を議会が承認すると、スタージョン政権はその

「平等性にとって歴史的な日」を称えた。ところが、トランスジェンダー女性のアイラ・ブライソンが女性になる前に犯した強姦罪で有罪判決を受け、スターリングにある女性刑務所に送られると、(予想されていた)問題が浮上した。ブライソンが性別を女性に変更することを決めたのは、起訴されたあとだった。

この事件の問題点は、実に明快である。男性性と女性性が肉体とまったく関係なく自己認識のみによって決められるとすれば、強姦罪を犯したトランスジェンダーの女性をシスジェンダーの女性の刑務所に収監しなければならない。大きな抗議運動が起こったあと、ブライソンは男性用の刑務所に送られた――だがここでも、男性刑務所に女性が収監されているという問題が生じる[★108]。要するに、簡単な解決策は存在しないのだ。というのも、性アイデンティティはそもそもたんなるアイデンティティではなく、矛盾、緊張、自覚のない特徴などを内在する複雑な概念であり、精神的な面に限らず、社会全体に蔓延《まんえん》する様々な確執に組みこまれているからだ。

表向きには、ウォークネスと保守的かつ宗教的な原理主義は相容れない真逆のものに見える。だが、本当にそうだろうか？ 十年近く前、クルド人の元イスラム教徒、マルヤム・ナマージー(注：イランの人権活動家)が、「Apostasy, Blasphemy and Free Expression in the Age of ISIS（ISIS時代における背教、不敬、表現の自由）」と題した講義のため、ロンドン大学ゴールドスミス・カレッジに招かれた。女性の弾圧に焦点を当てた彼女の講義は、イスラム教徒の学生ばかりか、皮肉なことに、フェミニスト・ソサエティにもたびたび妨害された。後者が、ISOC（ゴールドスミスのイスラミック・ソサエティ）と公式な協調関係にあったからだ。[★109]

今日のウクライナ戦争でも、これとよく似た驚くべき協調関係が見てとれる。ドイツの左派党で最も人気のある政治家サーラ・ヴァーゲンクネヒトが、二〇二三年二月にドレスデンで平和会議を行い、ウクライナへの武器供給の停止を要求したとき、ビョルン・ヘッケ（会議に出席していた極右政党「ドイツのための選択肢」幹部）が、「どうか、われわれに加わってくれ！」と彼女に政党を替えるよう訴え、聴衆は彼を称えた。[★110] 極右の議員が極左の議員に、ドイツ国家の主権のために仲間に加わるよう呼びかけたのだ……。

正しくないと感じられるものすべてが害

ナマージーのケースにおけるフェミニストとイスラミック・ソサエティとの予期せぬ連帯は、このふたつの議論に共通する類似性を嫌でも思い出させる。類似性という言葉が仄めかすあらゆる矛盾を含め、事実上、ウォークネスが世俗的な宗教的教義として機能しているのだ。ジョン・マクウォーターが、そうした矛盾のいくつかを列挙している。「黒人の経験を理解するためには、永遠に努力しなければならない」が、「黒人であるのがどういうことかを理解することは決してできないし、理解していると思う者は人種差別主義者だ」。また、「多文化主義に興味を示さなければならない」が、「文化を盗用してはならない。別の文化はきみのためのものではないから、試してもいけないし、実践してもいけない[★111]」。

大げさに聞こえるかもしれないが、次に示すヴィンセント・ロイドが経験したウォークネスの最悪な実例を読むと、これが誇張でないことがわかる。ロイドの論文は、ウォークネスが抑圧的な傾向をはらむことを疑う者全員が必ず読むべきテキストであり、詳細にわたって引用する価値がある。ビラノバ大学の政治神学部長を務める黒人の大学教授である彼の経歴には、非の打ち所がない。大学では黒人研究プログラムを監督し、反人種差別主義および変革的正義に関するワークショップを指導し、反黒人人種差別主義と刑務所廃止に関する数々の著作（『*Black Dignity: The Struggle against Domination*（黒人の尊厳：支配との闘い）』など）を発表している。

二〇二二年の夏、ロイドは、テルライド協会からの依頼で、選抜された十七歳の男女十二人が参加する、「アメリカの人種と法律の限界」という六週間のセミナーを受け持つよう依頼された。四週間後、出席者の数はふたり減り（その前週、生徒たちがそのふたりの参加者を投票によって寮から追いだした）、その後の投票により、ロイドも締めだされた。彼の最後のクラスでは、

各生徒が準備してきた声明を読みあげた。そのなかでは、本セミナーでは黒人に対する暴力が延々と細かく描写され、黒人の生徒が害を及ぼされた（傷ついた）こと、講師である私が身振り手振りなどのマイクロアグレッション（注：無意識の偏見や差別によって、悪意なく誰かを傷つけてしまうこと）を行い、反黒人主義が世界で起こる諸悪の根源である事実を取りあげそこね、またその見方を即座に改めなかったために、生徒たちが身の危険を感じたことなどが挙げられた。[★112]

この一件で頂点に達した傾向がどこに端を発しているのか、ロイドは次のように特定した。「一九七〇年代、左派の組織が内部崩壊し、人々が必要に迫られて攻撃的な姿勢を高

めたことで独断主義や幻滅に満ちた有害な文化が生まれたとき」である。ロイドの批判者たちは、たとえば次のような独断的な意見に依拠している。「弾圧に階層は存在しないが、独自の階層を作っている反黒人の弾圧は例外である。トラスト・ブラック・ウィメン（注：黒人女性に関する偏見やステレオタイプを根絶するために活動する組織）、〝刑務所は答えではない（注：収監制度に対する改革を訴えるスローガン）〟も、その一部だ。また、すべての非黒人はもちろん、黒人の多くも反黒人主義という罪を犯しているのだ」と。

しかし、ロイドのセミナーに関しては、内容よりもセミナーとワークショップの形態の違いが重要だった。ロイドはセミナー、つまり意見の交換を行おうと試みた。セミナーでは、ひとりの学生が別の学生の見逃した事実に気づくことで意見が交わされ、教授がそこから重要な課題を導きだす。参加者はたいてい古典作品や公開されている論文を読み進めながら、辛抱強くそうした文章の意義を探る。しかし、ロイドが説明しているように、「セミナーがスローフード（注：伝統的な食材や料理方法、質のよい食品やそれを提供する小生産者を守り、消費者への味覚教育を推進する社会運動）だとしたら、大学レベルの反人種差別ワークショップはシュガーラッシュ（注：糖分の過剰摂取によって一時的に興奮状態になること）だ。そこでは、ハッシュタグのすべてが凝縮され、わかりやすくまとめられて、権威者によって差しだされる。最悪の反人種差別ワークショップでは、提案された新しい言い回しを参加者が繰り返す——声にだしてリツイートする——だけ」である。そこでは権威者の定めた原則・独断がはっきり確立されていて、話し合いの内容は誰がその原則に意識的あるいは無意識に、いかに、どこで違反したかに絞られる。アレンカ・ジュパンチッチが記したように、ポリティカリー・コレクトなワークショップは、ブレヒト（注：ドイツの劇作家ベルトルト・ブレヒト）の「イエスマン」的な世界、すなわち誰もが繰り返しイエスと言い続け、真摯な擁護者として受け入れられない者は「害」だと決めつけられる世界なのだ。

この言語体系とそれが表す枠組みは、刑務所廃止運動から生まれた。廃止論者は、犯罪者を罰する代わりに害について考え、その害をどう正せばよいかに思いを巡らすことを奨励する。そしてたいていは、害がもたらす影響、害が生まれる理由、今後進むべき道筋を見極めるために、広範囲の地域社会に参加を呼びかけることでそれを達成しようとする。反人種差別ワークショップの言語表現においては、正しくないと感じられるものすべてが害とみなされる。

自由主義左派を無力化するウォークネス

ここで、「害」という表現が実際にどう使われるかに関するロイドの例を挙げる。

投獄に関する議論の最中、アジア系アメリカ人の生徒が、連邦刑務所の囚人の六十パーセントが白人だとする統計を引き合いにだした。すると、黒人の生徒たちは、自分たちは害を及ぼされたと発言した。彼らはワークショップのひとつで、客観的な事実は白人至上主義のツールだと学んでいたのだ。私はこのセミナー以外の場所で、黒人の生徒たちが、黒人とは関係のない刑務所の統計を耳にすることで被《こうむ》った害（心の傷）を癒やすために多くの時間を費やさねばならなかったと聞いた。数日後、その統計を挙げたアジア系アメリカ人の生徒は、このセミナーから追いだされた。

この話を聞いて、われわれはふたつの事実に驚くべきだ。まず、この新たなカルトが客観化された独断的な原則に従うだけでなく、人々の感情という主観的な要素を完全に信頼していることだ（とはいえ、人種差別の罪悪感の尺度として黒人の感情に言及できる権利を持つのは、虐げられた黒人学生のみである）。ここには、批判的な議論を差し挟む余地はまったくなく、「オープンな討論」は人種差別的な白人至上主義だと仄めかされる。「客観的な事実は、白人至上主義のツールである」とくれば当然、トランプ支持者がかつて主張したように、われわれは「もうひとつの事実（オルタナ・ファクト）」を作りだす必要がある……となる。

実は、この姿勢にはわずかながら真実が含まれている。ひどく虐げられている人々には、通常、深く内省する時間も、自由主義・人道主義的イデオロギーに潜む虚偽や欠点を明らかにするような複雑な議論に費やす時間もないからだ。しかし、ロイドのセミナーでは（そしてほとんどのケースでも）、反乱の指導者という役目を自らに課した者たちは人種差別の犠牲者などではなく、エリート大学によって開催された一流のワークショップに参加できる比較的、特権的な立場にあるマイノリティのなかのマイノリティだった。

次に、〈他者〉（注：大文字の他者。みんながそう思う〝みんな〟。この場合は、テルライド協会）が果たした機能に関する謎がある。全参加者に徐々に押しつけられていった視点は、マイノリティ（最初は、黒人の参加者のなかでもとくに少数派）の視点だった。それなのに、この一部の学生がいったいどうやって、そしてなぜ、参加者だけでなくテルライド協会さえも味方につけ、さらにロイド教授の弁護さえ拒むよう強制することができたのか？　なぜ彼らは、もう少し事を荒立てず穏便に対応しなかったのか？　もっと広い観点から見ると、なぜウォークネスは少数派であるにもかかわらず、自分たちよりも大規模な自由主義左派を無力化できるばかりか、批判的な立場につくことへの恐れを彼らの心に植えつけることができるのか。

心理分析をすると、この逆説のなかに明らかな答えが見えてくる。超自我の概念が、その答えだ。超自我とは不可能な要求を立て続けに浴びせかけ、それに応えそこねた私のむなしい試みを嘲笑《あざわら》う、残酷かつ飽くことを知らない、思考・行為の主体である。「罪深い」努力を控え、その要求に応えようとすればするほど、私は超自我にとってさらに罪深き存在になる。公開裁判で無実を訴える容疑者に関する、スターリン主義者のシニカルな古いモットー（「無実であるほど、銃殺に値する」）は、超自我の最も純粋な形だと言えよう。さきほど引用した「黒人の経験を理解するためには、永遠に努力しなければならない／黒人であるのがどういうことかを理解することは決してできないし、理解していると思う者は人種差別主義者だ」という一節で、マクウォーターはまさしく超自我の逆説構造を再現しているのではないだろうか。

要するに、理解しなければならないが、理解すべきではないから理解できないのであり、最大の罪は努力すべきことをすることなのだ。目的を果たしえなかったときに成就される禁止命令のこの複雑な構造が、フロイトが記した超自我の逆説を説明している。すなわち、超自我に従えば従うほど、われわれの罪悪感はいっそう募るのである。

現代社会に特有の様々な状況は、この種の超自我プレッシャーや果てしない自省の典型的な例となる。たとえば、私が客室乗務員を見た目つきは、ぶしつけで、性的に不快だったか？　私は性差別ともとれる表現を使っただろうか？——など。こうした自己吟味から、楽しみが、場合によってはスリルさえ得られることは歴然としている。

これと同じことが、イスラム教徒に対する偏見という罪を犯すことに対して西欧自由主義左派が抱く病的な恐怖にもあてはまるのではないだろうか。イスラムを少しでも批判すれば、西欧のイスラム恐怖症から発せられた表現だとこきおろされる。サルマン・ルシュディは、不必要にイスラム教徒を挑発して怒りを買ったせいで（少なくとも一部はそのせいで）、ファトワー（注：イスラム教指導者が出す法令）で死刑を宣告されることになり、その結果、予想されたとおりのことが起こった。西欧自由主義左派が自分たちの罪悪感を吟味するほどに、イスラム原理主義者たちからイスラム憎悪を隠そうとする偽善者だとさらに激しく糾弾されるはめになったのだ。この事例もまた、超自我の逆説を見事に再現している。〈他者〉の要求に従えば従うほど、罪は深まる。ちょうど、イスラムを許容すればす

るほど、そこからのプレッシャーがいっそう強まるかのように……。[★113]

したがって、ロイドの事例で、大半の参加者とテルライド協会、つまり組織的な〈他者〉の両方が、いかにして、なぜ「ウォークな」マイノリティに威嚇されたのかは、この超自我構造によって説明できる。彼ら全員が、正義を求める本物の要求とはほど遠い超自我の圧力にさらされたのだ。このようなシナリオでは、学生たちは黒人が受けている不正な扱いを（最低でも）減じるという、自ら宣言した目標を達成できないことがよくわかっている。ある意味では、達成することを望んでさえいない可能性が高い。彼らの本当の望みは、自分たちが現在達成していること、つまり、実質的に社会的な優劣関係を変えずにほかの人々を取り仕切る道徳的権威を持つ立場につくことなのだ。ほかの人々の状況はより複雑だが、やはり明白だ。彼らのほとんどが社会的に優位な立場に加わる罪を犯しているため、ウォーク派の支離滅裂な要求に屈しているのだが、実際には特定の言葉遣いや考え方に同意しているだけで、これまでと同じ暮らしを続けられるかぎり罪を喜んで認めるという簡単な逃げ道を選んでいるにすぎない。要するに、「好きなことをしてよろしい。ただし、罪悪感を覚えること」という古いプロテスタントの論理と同じである。

夢を見続けるために目覚める人々

よって、これら四つの例から学ぶべき教訓は明らかだ。「ウォークネス」は実質的に、その正反対の概念を表している。フロイトは『夢判断』のなかで、息子の遺体の番をしているときに隣の部屋で眠りに落ちた父親の夢について書いている。夢のなかで死んだ息子が父親のもとに現れ、「父さん、どうして僕が燃えているのが見えないの？」と訴える。父親が目を覚ますと、火のついた蠟燭《ろうそく》の一本が息子の棺に倒れ、掛け布が燃えていた。

さて、父親はなぜ目覚めたのか？　煙の臭いが耐えがたくなったから、つまり、その臭いを夢のなかの出来事にとどめて眠り続けることができなくなったからだろうか？　ラカンは、もっと興味深い分析を提示している。

夢の機能が眠りを引き延ばすためだとしたら、そして夢がその要因となる現実に限りなく近づくのだとしたら、眠りから覚めぬまま、夢が現実に対応している可能性もあると言えるのではないか？　結局のところ、夢遊行動といったものが存在するのだから。そうなると――そしてまたフロイトがこれまで示唆したことすべてを踏まえると、眠っている者を目覚めさせるものは何か、という疑問が生じる。それは夢のなかの、別の現実ではないのか？　この別の現実とは、フロイトいわく、その子が父親のベッドのそばに現れ、腕をつかんで、「父さん、どうして僕が燃えているのが見えないの？」と非難するように囁《ささや》いた現実のことである。隣の部屋で起こっている奇妙な現実として父が特定した音よりも、この言葉のなかにこそ、より強烈な現実があるのではないか？　子どもの死因となった、ここでは語られていない現実が、この言葉に表れているのではないか？[★114]

この分析によれば、不幸な父親を目覚めさせたのは外的現実からの刺激ではなく、夢のなかで体験した耐えがたいほどのトラウマだった。「夢を見ること」が「現実界（注：フロイトのいう心的現実）」と直面するのを避けるために空想することであるかぎりにおいて、父親は文字どおり、夢を見続けるために目覚めたのである。

それに基づいたシナリオは、次のとおりだ。眠りが煙の臭いによって妨げられたとき、父親は眠り続けるために、即座に恐ろしい要素（煙、火）の登場する夢を作りあげた。しかし、夢のなかで彼が直面したのは、現実よりもずっとつらいトラウマ（息子の死が彼のせいだったこと）だったため、その「現実界」から逃れるために現実の世界へと目を覚ました……。

現在のウォークの運動では、まさにこれと同じことが起こっている。彼らが私たちを（人種差別や性差別の恐怖へと）目覚めさせるのは、われわれが眠り続けるため、すなわち、人種差別および性的トラウマの真の根源や深刻さを無視していられるように、なのだ。

ここで生じる逆説は、眠りが現実からの消極的な逃避ではないことだ。この眠りは、必死の行動として機能する。これをどのように理解すべきだろうか？　今日の市場には、有害な成分を取り除いた製品が多々ある。カフェイン抜きのコーヒー、脂肪分なしのクリーム、ノンアルコールのビールなど、挙げればきりがない。さらに、バーチャル・セックスはセックスなしのセックスで、行政機関の運営は政治的意図を持たない政治であり、今日の寛容でリベラルな多文化主義は不穏な〈他者〉性を除いた他者の経験である。このリストに、われわれの重要な文化的要素をもうひとつ加えるべきだろう。デカフェな抗議者、すなわち正しいことしか口にしないが批判的な観点に欠けた、眠り続ける「ウォークな」抗議者だ。

彼らは、地球温暖化やウクライナ戦争に恐怖を感じ、性差別や人種差別と闘い、根本的な社会変化を要求し、全人類にグローバルな連帯という大義に同調するよう呼びかける。要するに、いっさい生活を変えず（ときどきチャリティに寄付すればいいだけ）、キャリアもそのまま保ち、勝つためなら手段を選ばない攻撃的な面を持ちつつも、正しい側にいる人々だ。ベン・バージスの本の題名を言い換えると[115]、キャンセル・カルチャーの遂行者は、「世界が燃えているのにジョークを飛ばすコメディアン」なのだ。「急進派」とはほど遠く、新たな規則を押しつけてくるが、それは「必死に活動しているふり、すなわち何ひとつ変わらないよう目を光らせておく」ための模範的な疑似活動の一環なのである。

現在の文化戦争の最大の問題

ウォーク・カルチャーの誘惑に抗うためには、真の左派はひとり残らず、オスカー・ワイルドの『社会主義下の人間の魂』の出だしの一節を壁に飾るべきだ。そこには「思想に共感するよりも苦難に同情するほうがはるかに易しい」とある。人々（彼ら）は――

自分が忌《いま》わしい貧困に、忌わしい醜悪に、忌わしい飢餓にとりまかれているのを知るのである。こうしたものに彼らが強く動かされるのは避けがたい……したがって、狙いは誤っているが天晴《あっぱ》れな意図をもって、彼らは目にするもろもろの悪を矯正する仕事にとても真剣かつ感傷的にとりかかるのである。ところが彼らの治療は病気を治さない。長引かせるだけである。それどころか、治療そのものが病気の一部なのである……正しい目的とは、貧困などありえないような基礎の上に社会を再建しようとすることである。そして愛他主義的な美徳こそ、実はこの目的の遂行を妨げてきたのである……私有財産制度から生じる恐ろしい悪を軽減するために私有財産を使うのは不道徳である。

最後の一文は、ビル&メリンダ・ゲイツ財団が体現しているような汎《はん》人道的アプローチにおいて何が間違っているのかを簡潔に指摘している。しかし、ゲイツのチャリティが非道なビジネス手法に基づいていることを指摘するだけではじゅうぶんではない。もう一歩進んで、そのイデオロギー的基盤を公然と非難するべきだ。サマ・マアニのエッセー集のタイトル、「Refusal of Respect: Why We Should Not Respect Foreign Cultures. Ours Included（尊重の拒否：自身の文化も含め、外国文化に敬意を表するべきでない理由）★116」が、この核心を突いている。これこそが、本来持つべき唯一の姿勢なのだ。ゲイツのチャリティは、自身と他者の文化も含め、すべての文化を尊敬しなさいというマアニの定式の次なる形を示唆している。右派の民族主義は、自身の文化を尊敬し、それより劣る他者の文化を軽蔑しなさいと提唱する。ポリティカリー・コレクトな定式では、他者の文化を尊敬し、人種差別的かつ植民地主義的な自身の文化を軽蔑しなさい（ポリティカリー・コレクトなウォーク・カルチャーが常に、反ヨーロッパ中心主義である理由はここにある）、となる。正しい左派の姿勢は、自身の文化に潜む対立を暴き、それを他者の文化の対立と結びつけてから、自身の文化に存在する抑圧や支配と闘う人々と、世界各地で同じ闘いに従事する人々に共通の闘争に参加しなさい、である。ムリ族（オーストラリア先住民）のアーティストで活動家のリラ・ワトソンが、裕福な白人からなる同情的な自由主義者に対して向けた発言がすべてを語っている。「私を助けにここに来たのなら、時間を無駄にしないでください。あなたの解放が私の解放と結びついているという理由でここに来たのなら、さあ、協力し合いましょう」[★117]。

つまり、移民を尊敬する必要も、愛する必要もない。必要なのは、彼らが移民にならずにすむよう状況を変えることなのだ。この考え方は衝撃的に聞こえるかもしれないが、大いに主張する価値がある。移民の割合を減らしたいと願い、そもそも移民の大半が好ましいとも思っていない場所に行かずにすむための対策を講じようとする先進国の住民のほうが、移民に対して寛大であれと呼びかけながら、その裏で移民の祖国を壊滅させるような経済的および政治的活動に従事する人道主義者よりもはるかにましである。現在の文化戦争の問題は、どちらの側も、基本的な状況を変える必要性を無視していることだ。よって、アメリカやヨーロッパの新右派（と、左派の一部）のウクライナ支持への躊躇が明らかにロシアの姿勢を反映していることを知っても、驚くべきではない。彼らは、グローバル文化戦争の同じ側にいるのだ。

第十一章　ロシアと西欧の文化戦争

「ロシア対ウクライナ、それとも西欧諸国の内戦か？」

ロシア・ウクライナ戦争の勃発から数か月後、ジョーダン・ピーターソン（注：カナダ人の臨床心理学者、作家、ユーチューバーで、トロント大学の心理学教授）は立場上当然ながら、いくつかのポッドキャストでこの戦争に関して解説をした。彼の分析にはまったく反対だが、「ロシア対ウクライナ、それとも西欧諸国の内戦か？」[★118]という彼のユーチューブ動画のタイトルは、正しい繋がりを言い当てていると思う。西欧諸国の内戦という表現で彼が意味しているのはもちろん、いわゆる文化戦争、すなわちポリティカリー・コレクトであることを支持するリベラルな主流派と、新右派ポピュリストとのあいだに現在起こっている対立のことである。

では、彼はそれをどのようにウクライナ戦争と結びつけているのか？　戦争が始まった当初こそロシアの侵攻を強く批判していたが、ピーターソンの姿勢は徐々に、推論に基づくロシア援護へと変わっていった。厳選されたデータ（ウクライナ人は実際にマイノリティであるロシア系国民の基本的な権利の一部を制限していた、ロシアは新たな教会を建てている、プーチンはおそらく本当に信心深い……）を列挙したあと、ピーターソンは、ロシアがウクライナを攻めるきっかけとなった、アメリカによる一連の挑発行為と彼がみなす行動に焦点を当てた。

この準備段階を経て、ピーターソンは「宗教と信仰の」話に移り、とっておきの話題、すなわちロシアの集団主義的な宗教観とは相容れない、西欧の快楽主義的な個人主義に対するドストエフスキーの批判について語った。続いて予想どおり、今日の西側の自由主義文明を「堕落」とみなすロシアの見解を支持した。すなわち、ポストモダニズムはマルクス主義の変形であり、[★119]その狙いはキリスト教文明の基盤を破壊することであるから、ウクライナ戦争は伝統的なキリスト教正教徒の価値観と、堕落した新たな共産主義形態との闘争なのだ、と。

ここで提起すべき疑問は、西側のどの政治勢力がこのロシア側の見解を擁護しているのか、である。答えは明らかだ。二〇二一年の一月六日に初めてその姿を公に現した、いわゆる「キリスト教徒の反乱」を支持する勢力である。CNNによるとあの暴動は「自国に白人キリスト教ナショナリズムが急増している事実に、アメリカ人が初めて気づいた瞬間だった……この運動の目的は、性差別や黒人および非白人移民への敵意の隠れ蓑としてキリスト教的な言い回しを使い、白人キリスト教徒から成るアメリカを作りだすこと[★120]」である。

キリスト教ナショナリズムが思い描くアメリカ国家は、「本物のアメリカ人」と、同じ権利を持つに値しないその他の市民に二分されている。聖職者や学者、活動家から成る一団の報告によると、国会議事堂への襲撃を「鼓舞し、正当化し、煽る」ために用いられたのは、この二分化の概念である。二〇二〇年に公共宗教リサーチ研究所が行った調査では、「真のアメリカ人愛国者は、国を救うためであれば暴力に訴えることも辞さない」という声明に同意する確率が最も高いグループは、白人の福音派キリスト教徒だった。しかし、この立場を取る人々は、われわれが思うほど少なくない。「白人キリスト教ナショナリズムの信念は社会に深く根付き、主流となっているため、保守的なキリスト教牧師がこのイデオロギーに疑問を差し挟めば、まず間違いなく職を失う危険にさらされる」と、アメリカの歴史家クリスティン・コーベス・ドゥ・メイは語っている。

また、この傾向はアメリカだけに限られない。ガーディアン紙によると、[★121] ピーターソンの友人オルバーン・ヴィクトル（ハンガリー首相）は「ヨーロッパ人種と非ヨーロッパ人種を〝交配させる〟ことに反対だとたびたび暴言を吐いている」と言った。二〇二二年七月にオルバーンが行ったスピーチに対しては、ヨーロッパ各地の反対党や対抗する政治家たちが即座に激しい怒りをあらわにした。

「われわれ（ハンガリー人）は、混血ではない……そして、われわれはそうはなりたくない」とオルバーンは語った。さらに彼は、ヨーロッパ人と非ヨーロッパ人が混ざり合う国々は、「すでに国家ではない」と付け加えた。★122

これを読むと、今日のハンガリー人自体が混血人種であるという皮肉な事実を思い出さずにはいられない。なぜなら、ハンガリー人は西シベリアから侵略してきたフン族が、地元の人々と交配して生まれた人種だからである。中世の時代、フン族を率いたアッティラ――いまでも一般的なハンガリー人の名前――は、罪を犯したことにより国家に降りかかる災害を意味する「神の祟《たた》り」という異名を得ていた。そしていま、オルバーンは自由主義のヨーロッパ人をその罪によって罰する新たなアッティラを演じている。現在のウクライナ戦争において、オルバーンがロシア寄りであるのも不思議ではない。一方でカチンスキは、基本的な考え方はオルバーンと同じでも、ロシアによるウクライナ侵攻には断固として反対している。だがこれは、たんなる局所的な対立よりもずっと強力な、広範囲にわたる同盟が存在することを証明しているにすぎない。ひょっとするとウクライナでさえ、この非自由主義の陣営に加わる日が来るかもしれない。

ウクライナ侵攻とオルタナ右翼の反乱は同じ根をもつ

ピーターソンが明らかな躊躇を見せたあとにロシア寄りの立場を表明したことは、現在のグローバルな動向の指標として重要である。ピーターソンの基本的な倫理姿勢を考慮すれば、彼がそれとは逆の立場をとることもじゅうぶん考えられた。戦争に対する多くのヨーロッパ人のこうした生ぬるい反応こそが、ヨーロッパが人権に関して公約を避け、曖昧な概念を好むと同時に、自らの行動する権利に疑いを抱く被害者意識に基づいた「倫理」しか実践できない証拠ではないか？　ロシアに対して一致団結した強硬な姿勢を取ることこそが、西側の「堕落」を批判するなかでピーターソンが提唱している姿勢の模範例ではないのか？

しかしこれは、世論の流れとは逆である。ウクライナ支援に反対する共和党議員は、ますます勢いをつけている。アメリカの政治専門紙ザ・ヒルのウェブサイトによると、彼らは「アメリカ南部の国境強化や、国内のエネルギー生産への投資などに回せる資金をウクライナに送りたくない」[*123]のだ。トランプの後ろ盾を得たオハイオ州上院議員、J・D・ヴァンスは、ロシアによる侵攻を批判しながらも、ウクライナを「新興財閥に支配された腐敗国家」だと非難し、「自国の問題を無視し、ウクライナに数十億ドルもの資金を注ぎこむのは侮辱的であり、戦略的にも愚かだ」と発言した。下院議長（注：現在は下院議員）のケビン・マッカーシーは、共和党員がウクライナに「白地小切手」を切ることはないと誓った。[★124]

したがって、われわれはピーターソンの基本前提、すなわちロシアによるウクライナ攻撃と、アメリカにおけるオルタナ右翼の反乱が、同一のグローバル運動から派生したふたつの枝であることを受け入れるべきだ。では、その反対側を支持するべきなのかというと、それほど単純な問題ではない。西側の「キリスト教徒の反乱」とロシアの反ヨーロッパ的な姿勢が統合されれば、世界各地で社会政治上の大惨事となり、想像を絶する事態が起こるだろう。しかしながら、われわれが相手にしているのは、よく知っている敵だ。ピーターソンが攻撃しているのは、グローバル資本主義が招いた結果そのものなのである。百五十年以上前に、マルクスとエンゲルスは『共産党宣言』の第一章でこう書いている。

ブルジョアジーは、支配権を握ったところではどこでも、あらゆる封建的・家父長制的・牧歌的諸関係を破壊した……あらゆる固定的なものや永続的なものは雲散霧消《うんさんむしょう》し、あらゆる神聖なものは冒瀆《ぼうとく》され、こうして人々はついには、自分たちの生活条件、自分たちの相互関係を冷めた目で見ざるを得なくなる。★125

家父長制的イデオロギーとその実践への批判に力を入れる左派の文化理論家たちは、この概念を無視する。しかし、市場の個人主義により家父長制が――マルクスとエンゲルスの予想どおり「雲散霧消して」――覇権的な役割を失ったまさにその歴史的瞬間に、それに対する批判が第一の標的に格上げされた事実について、われわれはいまこそ疑問を差し挟むべきではないか。こうした「左派」は当然ながら、オオカミの毛皮をかぶったピエロにすぎない。抜本的な改革を起こすふりをしながら、その実、体制を擁護しているのだ。

今こそ「戦時共産主義」を!

したがって、西側先進諸国で起こっている文化戦争は、同一のグローバル資本主義システムのふたつのバージョン――制限のない純粋な市場個人主義と、資本主義のダイナミズムを伝統的な価値観と自由に結びつけようと試みるネオ＝ファシスト的保守派――のあいだで繰り広げられている偽りの闘いにすぎない。

ここで生じるのは、二重の逆説である。ポリティカル・コレクトネスは古き良き階級闘争の置き換えにすぎず、自由主義エリートは自らが経済および政治面で恵まれた立場にあるという基本的な事実を覆い隠すために、抑圧されたマイノリティを擁護するふりをしている。そしてこの嘘のおかげで、オルタナ右翼のポピュリストは、大企業や「ディープステート」エリートから「真の」労働者階級を守っているふりをすることができる。つまり、社会秩序を求め、必要と判断すれば警察の弾圧すら要求する(「一月六日、警察や州軍はどこにいたのか?」)ことさえ辞さぬ自由主義左派よりも、ポピュリスト保守派のほうが「革命的」であるという逆説が生じるのだ。

この考察から導きだされるのは、左派と右派という概念がいまや古臭くなったという事実ではなく、すなわち今日、冷戦を繰り広げている両陣営を適切に把握するには、この戦いを場違いな階級闘争とみなさねばならないという事実である。どちらの側も、搾取される人々のために闘っているわけではない。

こうした現状に対する解決策とは? ロシアの攻撃をきっぱりと批判し、同国の政権が反LGBT+だと訴えるジュディス・バトラーは最近、「ロシア軍がいつか武器を置くという希望を抱いている」[126]と発言している。けっこう。だが、その奇跡が起こるまで、どうすればいいのか？　英ガーディアン紙の外交コラムニスト、サイモン・ティスダルは、近い将来ヨーロッパに待ち受けている未来をきわめて正確に描きだした。

プーチンの狙いは、ヨーロッパを困窮させることである。エネルギー、食糧、難民、情報を武器にして欧州諸国の経済的および政治的苦痛を拡大し、ヨーロッパ全体を戦時状態に陥れようとしているのだ。ヨーロッパには、電力不足による苦難に満ちた長く寒い冬と大混乱が待ち受けている。凍《こご》える年金受給者、腹をすかせた若者、スーパーの空っぽの棚、払えないほど高騰《こうとう》した生活費、賃金価値の低下、ストライキや抗議運動は、スリランカ型の経済崩壊が起こることを示唆している。これは決して誇張ではない。[127]

ロシアのプロパガンダが、まったく同じ構図を描きだし、それを西側の衰退と自国に対するヨーロッパの愚かな政策のせいにしていることは、衆目の一致するところだ。それに加えて、ロシアの暴挙によってヨーロッパ連合（EU）の結束が崩れかけている最初の兆候

（各国政府が、すでに不足しつつあるエネルギー源をめぐって争っている）を考慮すると、この構図がさらにはっきり見えてくる。「ヨーロッパ全体が戦時状態に陥る」なか、かつて「戦時共産主義」と呼ばれた政策がまもなく必須となるだろう。そうなると、国家機構が他国と緊密に協力し、各地域の人員を駆り集めざるを得なくなるばかりか、エネルギーや食糧の配給を制限し、社会が無秩序状態に陥るのを防ぐ必要も生じる。社会生活に直接、軍事介入が行われる可能性も除外できない。

現在の危機は、ヨーロッパにひとつの選択肢を差しだしている。将来、サイモン・ティスダルのいう「凍える年金受給者、腹をすかせた若者、スーパーの空っぽの棚、払えないほど高騰した生活費、賃金価値の低下、ストライキや抗議運動が示唆するスリランカ型の経済崩壊が起こる」のを待つか、行動を起こすか、である。戦争が起こっているというのに、「ガス代や電気代がどれくらい上がるのか？」と頭を悩ませるような、一部の人々に限られた幸せの追求をあきらめる稀な機会が、いま到来している。ゼレンスキーは、ヴォーグ誌にこう語った。「私がいま話していることが、自宅、自国で起こっていると想像してもらいたい。それでもなお、あなた方はガスやエネルギーの値段について考えるだろうか？」[★128]と。彼の言うとおりだ。ヨーロッパが攻撃されているのだから、行動を起こさなければならない。軍事行動だけでなく、社会や経済の面でも対策に乗りだすべきである。この苦境をきっかけに生態系壊滅の危機を防ぐような暮らし方に切り替え、旧植民地諸国に借りがあることを認めるべきだ。それができるのはいましかない。

われわれには、その準備ができているだろうか？　それは疑わしいが、やってみなければならない。明らかな経済的およびイデオロギー的理由にとどまらず、その一歩先に進み、日々の生活に浸透するメランコリックな無関心という主観的な基本姿勢に焦点を当てるべきだ。

第十二章 狂気のリズムにブレーキをかけろ

アイデンティティを公式に「認められる」ということ

精神分析医によれば、メランコリーは禁止に先行する。メランコリーによって気力を失う理由は、欲望の対象（客体）は手の届く場所にあるが、主体はもはやそれを欲しないからだ。禁止は、主体をメランコリックな無気力から引きだし、欲望に息を吹きこむ役目を果たす。メランコリー状態のなかで、対象がいつでも手に入るのに主体の欲望が不足している場合は、禁止により対象を奪うことで欲望が復活する。現代の放任主義的な自由資本主義はメランコリックだ。すべきことはわかっているのに、それに対する欲望を失いつつある。

これとは対照的に、ナショナル・ポピュリズム（注：右派ポピュリズム）は、（企業グローバリゼーションに脅かされている生活様式への）嘆き・喪失を利用する。ジェームズ・ゴッドリーはビョンチョル・ハンの考察を用いて、この概念を解説している。ゴッドリーいわく、パンデミック中、人々がとくにつらいと感じた理由は――

大勢の集まりに参加することが難しくなっただけでなく、もはやそうした慣例の目的を見いだせなくなったからである。新自由主義的な資本主義社会では、革新的な

「妨害」が巧みに駆使され、剰余価値を目的として常に新たなリソースを探し求める近視眼的な姿勢に重きが置かれるため、こうした集まりは病的とみなされ、神経症的で「プライベートな」式典や告白のような体験がそれに取って代わった。これにより、集団という構造は時代遅れとみなされるか、場合によっては社会機構において有害になりうると非難されることになったのである。したがって現在は人とのコミュニケーションや寛容さに重点が置かれるにもかかわらず、あるいはそれだからこそ、主観主義的な心理学的分析により、客観的な社会構造における問題が個人のメンタルへルスの問題に置き換えられた。その結果、「儀礼的行動には感情も含まれるが、こうした感情を抱くのは切り離された個人ではなく」コミュニティであることが忘れ去られている、とハンは考察している。たとえば服喪の慣例では、個人としての感情ではなく、ハンいわく「客観的な感情」、すなわち「喪に服す行為」をすべての人々に「強要することでコミュニティを統合する集団の感情」が焦点となるのだ。[★129]

端的に言うと、正しい哀悼・服喪は、〈他者〉の誰か——人々の生活を支える象徴的な権威機関——がわれわれのために執り行うときのみ可能となる。われわれが対象の喪失を受け入れることができるのは、その喪失が〈他者〉のなかに刻まれたときのみであり、そうなったとき、予期せぬ複雑な事態が起こることもある。スロヴェニア出身の友人から、合法的に男性に性転換をしたがっていたトランスジェンダーの若者が悲劇的な最期を迎えたという話を聞いたことがある。この若者はすべての手続きを終え、法律で正式に男性と認識されたその日、自ら命を絶ったという。彼を死に駆りたてた理由をあれこれ推測することは誰にでもできる（たとえば、心の奥深くにある欲求を叶えることがあまりにつらかったのか、など）。われわれが注目すべきは、自分が選んだアイデンティティを公式の〈他者〉に刻みこむという象徴的な行動の重みである。彼を自殺に駆りたてたのは、肉体的な変化でも、対人関係における現実（両親や友人たちは彼の決断を応援していた）でもない。その死は、彼の決断を国家機関が認識したという最終段階において起こったのだ。

われわれはなぜいつまでも何もしようとしないのか？

ここで、（哲学者のロベルト・プファラーが発展させた）相互受動性の概念（この言葉が持つ本当の意味）について考えてみたい。

ジャック・ラカンは、ギリシャ悲劇を劇場で楽しんでいる人々が経験するありふれた状況を引き合いに出し、明らかに奇妙なことが起こっていると論じた。まるで、〈他者〉（この場合は、合唱隊）のひとりが、泣くことや笑うことを含めた人間の最も内なる自発的な感情や態度を、われわれに代わって体験しているかのようだ、と。[*130] 一部の社会では、いわゆる「ウィーパー（葬式で泣くために雇われる女性）」が同じ役割を演じる。彼女たちが代わって死を嘆き悲しむ演技をしてくれるおかげで、死者の家族はより有益な行動（たとえば、遺産分割の話し合いなど）に時間を割くことができるのだ。チベット仏教のマニ車も、これと似た役目を果たす。祈りが書かれた紙をこの車の車輪につけ、機械的に回す（か、もっと実際的に風で回転するに任せる）と、その車輪が当人の代わりに祈ってくれる。たとえ当人の頭が卑猥な性的妄想でいっぱいでも、スターリン主義者なら「客観的」には祈っていることになる、と言うだろう。

そんなことは「文明化されていない」社会でしか起こらないと言うなら、テレビで使用されている、いわゆる「サクラの笑い」（面白い場面でサウンドトラックに後付けされる笑い声）はどうか。一日の終わりに笑う元気すらないほど疲れ、スクリーンを凝視するだけであっても、番組を見終わったあとは、まるでテレビが自分の代わりに笑ってくれたかのように心が和らぐ。この奇妙な作用を適切に理解するには、相互作用・相互能動性（注：interactivity）というインタラクティブ性）という流行りの概念を、その巧妙な替え玉である、プファラーのいう相互受動性（注：interpassivity。インターパッシブ性）という概念で補足する必要がある[★131]。今日、イデオロギーが果たすシニカルな役割は、他者は私のためにそれを知らない、という相互受動的な無知（知らないこと）である。つまり私は、〈他者〉を介してその知識を無視することで、自分の知識（知っていること）のなかに心地よく留まっているのだ。二〇二一年に公開された映画『ドント・ルック・アップ』では、登場人物たちが状況（大災害が迫りつつある）を理解していたにもかかわらず、この知識に従って行動を起こさず、隕石が接近しつつあることを否定する〈他者〉にこの無知を転嫁した。これと同じことが今日の自由主義の国家機関で起こっている。

では、われわれが必要としているのは、なんらかの新しい禁止（たとえば、生態学的な根拠に基づいた、環境を危険にさらす行動の禁止）なのだろうか？　エイドリアン・ジョンストンが言ったように、「私たちは物事が崩壊しつつあるのはわかっている。何を修復すべきかもわかっている。時には、それをどうやって修復するか、というアイデアまである。それにもかかわらず、すでに被った損傷を修復するためにも、簡単に予測できる損傷を防ぐためにも、いつまでも何もしようとしない[★132]」。

この受動性は、どこから来るのだろう？　常に進歩を目指して活動し続けることを要求するグローバル資本主義により、この数十年でわれわれの日々の暮らしはがらりと変わったわけだが、そのグローバル資本主義こそが無関心を生んでいるのだ。したがって、真の変化への道を切り開くには、まず、絶え間ない変化という狂気のリズムにブレーキをかけねばならない。われわれには立ち止まって考える時間さえ与えられていない。無関心と不休の活動は、同じコインの表裏なのだ。物事は常に変化しているが、これは真に重要なものが何ひとつ変わらぬようにするためである。その意味では、私のような強迫神経症の人間に少し似ているかもしれない。要するに、身振り手振りを交えてしゃべり続けるのは、何かを達成するためというより、一瞬でも口をつぐめば他人が自分の行動の無用さに気づき、本当の意味で重要な疑問を投げかけてくるのではないかと恐れているからなのだ。

「テクノ・ポピュリズム」の出現

過剰な活動により維持されるこうした膠着状態は、今日の資本主義が、マルクスにさえ信じられないほど巧妙に脅威を無力化し、批判を沈黙させている事実を浮き彫りにする。今日、イデオロギーが果たす機能は、日に日にシンプトム（症候）からフェティッシュ（物神性）に近づきつつある。この症候的な機能により、イデオロギーはイデオロギー的批判プロセスに対して無防備になる。典型的な啓蒙の手法では、イデオロギーにとらわれた個人がイデオロギー的欺瞞のなかに隠されたメカニズムを理解すれば、症候は消え、イデオロギーの呪文が解ける。だが、フェティッシュとして機能する場合、イデオロギーはシニカル・モードで作用する。イデオロギーが自らと距離をとる——スローターダイクのシニカル理性という古い定式を繰り返すと、「私は自分のやっていることを理解しているが、にもかかわらずやっているのだ」となる。アレンカ・ジュパンチッチが書いているように、シニカル・モードにおいては、フェティシストの否定、つまり「よくわかっているが……（実際にはそれを信じてはいない）」はより高度な再帰性（注：自分がある行為を続けるなかで、その行為の対象が自分以外のものからやがて自分自身へと移っていくこと）を帯びる。フェティッシュは自分が知っていること（知識）を無視して行動するために私が固守する要素ではなく、この知識そのものなのである。

このシニカルな論法は、「私は自分のしていることがよくわかっている。ゆえにきみは、私が自分のしていることをわかっていないと非難することはできない」となる。今日の資本主義において、覇権的イデオロギーは批判的知識をこのように包括し（それによって、その効果を無力化し）ている。社会秩序との批判的な距離こそが、この秩序が自らを再生産する媒体となっているのである。たとえば、現在（ヴェネツィアやカッセルなどで）開催されている多数の美術展は、グローバル資本主義とそれによる万物の商品化への抵抗の一形態と自称しているが、結局のところ、それ自体が、資本主義の自己再生産としての究極の芸術表現にすぎない。

パブリック・スペースで行われる哀悼の儀式（喪の作業）が、神経症的なプライベート・セレモニーあるいは告白的な経験と化した場合、社会スペースはまだそこに存在しているが、もはや儀式や暗黙の規則を執行する〈他者〉ではなく、マーク・ザッカーバーグの生み出したメタバースのように、罵《ののし》り言葉から卑猥な発言までなんでもありのプライベート・スペースとなる。したがって、われわれが自由を防衛するウクライナ人を助けているいまこそ、真の自由とは何であるかにこれまで以上に注意を傾けねばならないのだ。モーツァルトの『ドン・ジョヴァンニ』第一幕のフィナーレは、ドン・ジョヴァンニの「自由万歳！」という力強い訴えで始まるが、その場にいる全員が大声でそれを繰り返すため、音楽がその過剰さに突っかかったかのように、メロディの流れが乱れる。問題は、グループ全体が自由を求めて熱心に団結する一方で、それぞれのサブグループが「自由」のなかに各自の夢や希望を投影していることだ。あるいはエティエンヌ・バリバールの言葉を借りるなら、「したがって、社交性は現実の同意と想像上のアンビバレンス（ためらい）の統合であり、どちらも実際の影響を及ぼす」[★133]のである。

すべての政治グループが同じ「主人のシニフィアン（「自由」）」のもとに団結してはいるものの、各グループがこの普遍性に別の意味（所有の自由であったり、国家の法の外に位置する無法な自由であったり、個人が別のグループのために潜在能力を実現できるような社会条件であったり）を投影する状況を想像してほしい。言うまでもないが、これまでの歴史において自由の形は様々だった。そのため、自由が通常、何を意味するかには、史実が深く関わってくる。極限まで単純化すると、従来の社会において、自由は平等を意味しない。自由とは、それぞれの人間がそれぞれの階層的序列のなかで制限されずに特定の役割を果たせることを意味する。現代社会では、自由は抽象的な法的平等と個人の自由（貧しい労働者とその裕福な雇用者は、等しく自由である）に関連している。また十九世紀半ばから、自由は個人がそれを実現できる社会環境（最小限の福祉依存、無償の教育、必要な医療へのアクセスなど）と、ますます緊密に結びつくようになった。今日では「選択の自由」に重きが置かれているが、これはつまり、選択の枠組み自体がいかにして個人に押し付けられているのかや、どの選択が事実上は特権的であるかなどが無視されている事実を示唆している。

自由は、枠組みそのものに疑問を投げかけることから始まる。いまウクライナでは、誰もが「自由万歳！」と叫んでいるが、もしも――もしもではなく、これが実現することを願うが――この戦いに勝利したら、彼らは、どの自由を楽しむべきかという真の選択に直面することになるだろう。ウクライナは、危機に瀕した西欧自由民主主義に追いつこうとすべきなのか？　それとも、ポーランドやハンガリーの保守主義ポピュリズム枢軸に加わるべきなのか？　あるいは、新たな道を見つけねばならないと気づくことになるのだろうか。政治空間の構造は徐々に変化しつつあるように見えるが、真に「新しい」と呼べるものには至っていない。大きな変化は、政治空間の主要軸としての中道左派と中道右派政党間の対立が、大規模なテクノクラート（専門知識を代表する）政党と、その敵である反企業主義かつ反金融システム主義を掲げるポピュリズムとの対立に置き換わったことだ。

しかしながら、この変化自体がさらなる驚くべき転向を遂げている。近年われわれが目にしているのは、テクノ・ポピュリズムとしか言い表せない現象である。すなわち、熱意を焚きつけたり扇動的スローガンに頼ったりせずに、理性的な専門政治と実利的なアプローチを通して国民の生活を守ると約束する、明らかなポピュリズム・アピールを伴う政治運動（左派でも右派でもなく、人々の「真の利益」のために働く）である。クリストファー・ビッカートンとカルロ・アチェッティの著書を引用すると――

既存の民主主義社会では、テクノクラート的な技術アピールとポピュリズム的な主張を用いて人々に訴えかける手法が政治競争の基幹となっている。この発展は、左派と右派間における従来の闘争に重ね合わせた新たな政治論理、テクノ・ポピュリズムの出現と捉えるのが一番わかりやすい。政治運動やその活動家は、テクノクラート的アピールとポピュリズムの魅力を様々な方法で組み合わせている。また、この新しい直接的な政治形態に含まれる特定のインセンティブと制約の組み合わせに順応しつつある既存政党も同様である。[★134]

明快な選択肢はないが、待っていても好機は訪れない

こうして、今日の政治において究極の対立と思われる、自由民主主義と極右ナショナル・ポピュリズムとの大いなる闘争は、奇跡的に平和な共存へと姿を変えた。すると、ここでは正反対な二勢力の、「弁証法的統合」のようなものが起こっているのだろうか？

いや、この二勢力は第三の条件、すなわち政治的対立という政治につきものの側面を除外することで均衡を保っているのだ。その最もわかりやすい例が、あらゆる政党(政治の名誉を保っていると主張する極右のネオファシストを除く)に「中立」で有能な首相として支持されたイタリアのマリオ・ドラギだが、テクノ・ポピュリズムの要素は、エマニュエル・マクロンやアンゲラ・メルケルの政策にもはっきりと見てとれる。

道徳的な観点からすると、われわれが最も快適に善良で正しく生きられるのは、適度に権威主義的な政権下である。これはわれわれが受け入れざるを得ない、恥ずべき逆説だと言えよう。人は(暗黙の規則に従い)、この政権に(実際に脅威とならずに)やんわりと反対することにより、多くを危険にさらすことなく自らの公正な道徳的立場を確保できる。いくぶん、不利な状況に苦しむことになっても(一部の職業には手が届かないだろうし、訴追される可能性もある)、こうした些細な罰により、英雄オーラをまとうことができる。しかし、完全なる民主主義が実現したが最後、とたんに選択肢が曖昧になり、われわれはみな混乱状態に陥る。

たとえば、一九九〇年代半ばのハンガリーで、自由主義の元反体制活動家たちは、右寄りの保守派が権力を握るのを防ぐために元共産主義者と同盟を結ぶべきかという難しい決断を迫られた。これは、単純な道徳的理由づけだけでは答えをだせない戦略的決断だった。だからこそ、ポスト社会主義国家では、政治に関わる人々の多くが選択肢の明らかだった古き時代を恋しく思っているのだ。そして絶望のなか、実際の敵を旧共産主義者と同等とみなすことによって、かつての白黒はっきりしていた時代に舞い戻ろうとしている。スロヴェニアでは、保守派ナショナリストはいまだに現在の国内問題のすべてを元共産主義者たちのせいにしている。たとえば、国内にワクチン反対派が多いのは、共産主義時代の遺産が継承されているからだ、と。同時に、自由主義左派は、保守派ナショナリストが権力の座にあったとき、一九九〇年以前の共産主義者たちとまったく同じ権威主義的なやり方で統治していたと主張する。したがって新たな政策としてまず行うべきは、混乱と正面から向き合い、難しい戦略的決断を下す責任を負うことだ。

このように、現在の議会制民主主義においては、われわれが直面する問題の解決はいっそう困難になっている。しかしながら、「偽の」解決策を避けて好機を待っていても、そんなものは決して訪れない。われわれにはもう時間がないのだ。たとえ失敗しても、未来の変化の基盤作りに繋がるという希望を持ち、できるかぎりの方法を駆使して行動を起こさねばならない。ギリシャの急進左派連合は、選挙だけで権力の座に就いたわけではない。

様々な市民抗議団体と彼らの長年の活動があったからこそ、生まれたのだ。急進左派連合が勝利を収めたあと、この複雑に織りなされた構造が解体されてしまったことは、悲劇としか言いようがない。

ここでもわれわれは再び、本書につきまとう疑問に突き当たる。メディアが進歩だと報道することが、実際は、ほとんどの場合、前進の一歩を装った後退である時代において、われわれはどうすれば真の変化を成し遂げられるのか?

第十三章　富裕層への課税？　それでは足りない！

資本主義はなぜ批判の標的にならないのか？

政治においては、「私は仮面をつけて歩む」という表現がきわめて適切であることが多い。革命勢力は、権力を引き継いだ当初はしばしば本来の性質を表さず、既存のシステムを改善したいだけだと主張するからである。しかし、この表現を逆にした「私は仮面をつけて後退する」という言い回しのほうが、もっと適切ではないだろうか。すなわち、後退せざるを得ない状況に追いこまれたとき、敗北の大きさを隠して、それを進歩に見せるために偽りの仮面をつけるのだ。

だが、仮面をつけていない素顔自体がすでに仮面だとしたらどうだろう？ つまり後退中、仮面をはずして真の顔を見せるふりをしているとしたら？ これは究極の欺瞞である。政治家が（しばしば老年期に）自らの急進的なルーツを覆し、「私はイデオロギー的な幻想を放棄する。いまの私が本来の自分である、いまや偽りのビジョンにとらわれてはいない」と主張するのがその好例だ。

後者にあたる「仮面をつけて後退する」という概念は、シニカル・モードにおけるイデオロギーのフェティシスト的機能にぴたりとあてはまる。この機能は、それ自体から距離を取ることを含む。つまり、ペーター・スローターダイクのシニカル理性の古い定式を繰り返すならば、「私は自分のやっていることを理解しているが、にもかかわらずそれをやっている」。ゆえに、このフェティシスト的否認、「よくわかっているが……(実際にそれを信じてはいない)」はより高度な再帰性を帯びるのだ。フェティッシュは自分が知っていること(知識)を無視して行動するために私が固守する要素ではなく、この知識そのものなのである。

三年前、スコットランドのグラスゴーで開催された大規模な気候変動会議を覚えている人も多いだろう。会議ではグローバルな協力体制と環境問題への対策が大至急必要とされていることが公に掲げられたが、この宣言は、実際にはまったくなんの効果も発揮しなかった。反資本主義の話し合いにおいても同じことが起こり、実際には何ひとつ変わらずに、既存体制への脅威がすべて効果的に無力化される確率はかなり高い。

主要メディアに多く見られる批判的な姿勢は、いまだ資本主義を標的にはしていない。ここで典型的な例を挙げよう。ヘンリー王子(注:イギリス国王チャールズ三世の次男で、王室を離脱し、米国在住)とメーガン妃は、サステナブル投資に重点を置く金融サービス会社エシックに、「インパクト責任者」として加わった。エシックのウェブサイトには、「ふたりは気候変動問題や性の平等、健康、人種的正義、人権、民主主義の強化など、現代における重大な問題の提起に深く献身し、それぞれの問題が本質的に繋がっていることを理解しています」[★135]とある。この「現代における重大な問題」のリストには、あるはずのものが見当たらない。たしかに、それぞれの問題は「本質的に繋がっている」のだが、直接ではなく、グローバル資本主義とその破壊的な影響を介して繋がっているのだ。

富裕層への課税だけでは足りない

こうした見方が大部分を占めるとはいえ、主要メディアにも、ある種の率直な資本主義批判が芽生えつつある。十年ほど前に公開された『アバター』――階級闘争を、自然と共生するエイリアン（家父長制）と、そのエイリアンを武力で植民地化して搾取しようとする人類（企業資本主義）との対立に置き換えた映画――を皮切りに、（『ナイブズ・アウト：グラス・オニオン』や『ザ・メニュー』、『逆転のトライアングル』といった）金持ちを殺害する作品によって始まった、ハリウッド＝マルクス主義としか呼びようのない現象がそれである。同様に、経済的議論はまず超富裕層の批判という壁に突き当たる。多くのエリート富裕層が、日々の暮らしに苦しむ数十億の人々を助けるため自分たちに課税するよう政府に呼びかけているのだ。近年、「イーロン・マスクの富のわずか二パーセントで、世界の飢饉問題を解決できる」[★136]ことがわかると、マスク（近年、資産の半分以上である約千六百億ドルを失った）は即座に、国連が目標達成の明確な方法を提案すれば、同額を寄付すると申し出た……。「富裕層への課税」は実施すべき政策ではあるが、それだけでは過剰な富を制限する努力にすぎず、現存の体制の基本的な機能は変わらない。主要メディアの一部でさえ、さらなる対策が必要であることに気づきつつある。フィナンシャル・タイムズ紙も社説で、最盛期を過ぎた新自由主義はグローバルな舞台から退くべきであり、資本主義はますます檻《おり》のなかで回し車を走るハムスターの様相を呈しつつある、[★137]と力説している。

では、何が必要とされるのか？　まずは、新自由主義イデオロギーが定めた、越えてはならない一線を越える方法を学ぶ必要がある。今日の資本主義は、不可能に思えるほどの急進的な介入でさえ生き延びてしまうのだから。マリアナ・マズカート（注：イタリア系アメリカ人の経済学者）は、地球温暖化と闘うために税金を上げることはできないと何度も繰り返す資本主義制度が、新型コロナウイルスのオミクロン株対策としてあっさり数兆円を捻出できた事実を指摘する。[★138]つまり、われわれは手始めに、ペーター・スローターダイクが「客観的な社会民主主義」と呼ぶものを果敢に強化すべきなのだ。社会民主主義の真の勝利とは、その基本的要求（教育や医療などの無償化）が全主要政党に受け入れられる政策の一部となり、国家機関の機能そのものに組みこまれることである。

議会制民主主義では対処できない

しかし、それだけでは足りない。次に、既存の複数政党による議会制では、現在われわれが陥っている窮地に効果的に対処できないことを認識する必要がある。複数政党の議会制民主主義を闇雲に崇拝すべきではないのだ。

一八八四年、フリードリヒ・エンゲルスはアウグスト・ベーベルに宛てた手紙で、「純粋な民主主義」はしばしば、反革命的な反応を求めるスローガンになると警告した。「革命が起こっているさなか、大衆はそれに反応し、民主主義を支持するかのような行動をとるにちがいない……どんな事情があろうと、決定的な日もその翌日も、彼らは自分たちが民主主義者であるかのように行動するだろう」[★139]。このエンゲルスの警告は現代にも当てはまる。現代においても、体制側の解放運動が急進的になりすぎた場合、まさにこれと同じことが起こるのではないだろうか。ボリビアで起こったエボ・モラレス大統領に対するクーデター（注：モラレス政権下で貧困層が大きく減少したが、拡大した中間層のあいだで選挙不正の声が高まりクーデターが勃発、辞任に追い込まれた）など多数の事件が、民主主義を代表して行われたのではなかったか？

一九一八年一月五日、レーニンは（会議場を見下ろすバルコニーから）、ロシア憲法制定議会の最後の会議を見守っていた。このあと議会は事実上解体され、二度と召集されることはなかった。憲法制定議会は選出された複数政党からなる最後の機関だったので、ロシアの民主主義はこのとき終わった（少なくとも、通常の意味では）ことになる。

ここにレーニンの反応を記す。長い引用文だが、そのまま載せる価値がある。

「友よ、私は一日をむだに過ごした」。ある古いラテン語の格言は、こう言っている。一月五日をむだに過ごしたことを思うと、思わずこの格言が思い出される。

実務に、すなわち地主と資本家による搾取という森林を伐採し、切り株を引っこぬく仕事に従事している労働者と農民のあいだでの、いきいきとした、真にソビエト的な活動ののちに、だしぬけに「縁もゆかりもない世界」にうつることになった。つまり、自発的であるにせよ、不本意であるにせよ、また意識的にせよ無意識的であるにせよ、あの世からきた見知らぬ人々——ブルジョアジーの擁護者、寄食者、召使《めしつかい》、庇護者の陣営に、急にうつることになった。勤労大衆とそのソビエト機関が搾取者と闘う世界から、あいかわらず資本家との協調政策をもとにした、甘ったるい空文句、肌ざわりのよい、まったく空疎な大言壮語、空約束が連発される世界へと急にうつることになったのである。

歴史が、うっかりして、あるいは誤って、その時計の針を後戻りさせたかのようである。そしてわれわれの前には、一九一八年一月の代わりに、一九一七年の五月または六月が、一日だけ現れたのだ！

これは、恐ろしいことだ！　生きた人間のあいだから屍《しかばね》の社会へおちこみ、屍臭《ししゅう》を吸い、さながらミイラのようなチェルノフやツェレテリの「社会的」な、ルイ・ブラン的なご託宣《たくせん》の声を聞くことは、なにか耐えがたいものがある……。

タヴリーダ宮の優雅な部屋のなかの重くるしい、退屈な、手もちぶさたの一日は、その外観からみても、スモーリヌイとはちがっているが、それは、優雅な、しかし死んだブルジョア議会主義が、プロレタリア的な、単純な、多くの点でまだ無秩序で粗けずりな、しかしいきいきとした、生活力に富んだソビエト機関とちがっているのと、ほぼ同様である。あちらのブルジョア議会主義の旧世界では、ブルジョアジーの敵の階級やグループの指導者たちがフェンシングをやっていた。こちらのプロレタリア・

農民的、社会主義国家の新世界では、被抑圧階級がやや粗野に、不手際に……やっている……[140]［原稿はここで途切れている］

もちろん、この引用文をスターリン独裁主義へ向かう最初の一歩だと嘲笑い、ボルシェビキ党のなかで起こった会議や討論はどうなのか、と言い返すのは簡単だ。彼らもわずか数年のうちに、「甘ったるい空文句、肌ざわりのよい、まったく空疎な大言壮語の世界」、ゾンビのような振る舞いをする人々が暮らす、「屍臭を吸う」、空虚な儀式に満ちた世界へと変貌したのではなかったか、と。しかしその一方で、レーニンの残酷なほど冷淡なこの描写は、同じくわれわれを「あいかわらず資本家との協調政策をもとにした、甘ったるい空文句……空約束が連発される世界」へと連れ去る、グラスゴー会議のような気候変動会議にも完璧にあてはまるのではないか？

「中国かイーロン・マスクか」という選択肢を超えること

異なる民主主義を探し求めるなかで、現在の中国に着眼する者もいる。ローランド・ボウアー（注：神学者、マルクス主義者）[141]は、万人向けのグローバルモデルとは言えなくても、経済成長と市場が持つ強力な役割を社会主義と組み合わせる方法について中国から有益な教訓が得られる、と述べている。鄧小平《とうしょうへい》の改革から習近平の新たなビジョンまでの複雑な発展を、西側の「民主主義的」評論家が通常口にするような、(限られた)市場資本主義と共産主義的「全体主義」との対立に帰してはならない。習近平は、貧しい一般人が利益を肌で感じられるような経済成長を目指さなければならないと繰り返し主張し、政府が市場を規制すべきだと強調している。そのために中国共産党の指導的な役割が必要なのであり、そうすることで初めて大資本が多数の利益や女性とマイノリティの権利だけでなく、環境汚染の抑制などに確実に回されることになるのだ、と。

では、中国がわれわれの進むべき道を示しているのかというと、そうとも言えない。新型コロナウイルスとの闘いで中国政府が方向転換するきっかけとなった世情不安は、支配階級のエリート層が一般人の不満を把握しておらず、適切な対応ができていないことを示す多くの兆候のひとつだった。また、国民の不満や多数の要求に耳を傾けることを目標に掲げる裏には、公共メディアによって厳しく管理、検閲された社会が潜んでいる。さらに中国共産党の指導者の選出方法には、透明性があるとはとても言えない。

一方で、「民主主義の」西欧諸国における新しいメディア(フェイスブック、グーグル、インスタグラム、ティックトックなど）の爆発的な普及により、パブリック・スペースとプライベート・スペースの関係が激変した。パブリックとプライベートの境を破る、新しい三つ目のスペースが出現したのだ。この新たな第三のスペースは誰《パブリック》もが使えて、地球上のどこからでもアクセスが可能であると同時に、私的《プライベート》なメッセージ交換機能も果たす。とはいえ、検閲機能を持ち、特定の情報の侵入を防ぐだけでなく、その情報がわれわれの注意を引くように操作するアルゴリズムまで存在するのだから、管理されていない状態からはほど遠い。現状におけるわれわれの課題は、「中国かイーロン・マスクか」という選択肢を超えること、すなわち、透明性のない国家管理でもなく、同じく不透明なアルゴリズムに操られながら好き放題やる「自由」でもない状態を目指すことだ。中国とイーロン・マスクには、アルゴリズムによる不透明な管理という共通点がある。

われわれに何が必要かは一目瞭然である。（人種差別的および性差別的な内容を防ぐなどの）アクセスを管理することはもちろん、百パーセントの透明性を持ち、公に議論された、誰もが利用可能なアルゴリズムの実現だ。一部の理論家は、この新たなスペースではイデオロギーという概念そのものが用済みになると考えている。しかし、イデオロギーがここで完全に機能していると証明することは簡単だ。このスペースで楽しむ「自由」は、自由として経験される典型的な非自由モードであり、厳しく規制され、操られ、管理されている自由なのである。セーレン・マウ著『*Mute Compulsion*(ミュート・コンパルション)』の序文で、ミヒャエル・ハインリッヒはマルクスが何度か『資本論』のなかで用いた「ミュート・コンパルション(無言の強制)」という用語が、「資本主義以前の生産形態における奴隷制や農奴制のような個人的な支配関係と、マルクスが資本主義的生産形態とみなす合法な無償労働者に対する非個人的な支配との比較において、非常に重要である」と指摘している。すなわち、この概念は――

社会的再生産の物質的条件を変えることに基づく力、つまり厳密に経済的な「資本力」の重要な構成要素である。様々な危機や矛盾を抱えているにもかかわらず、資本主義関係がどのように繰り返し再現されるのかという考察に関しては、すでに多くの議論がなされているが、セーレンは暴力に基づく力関係とイデオロギーに基づく力関係と並ぶ、新たな第三の力関係を挙げている。最初のふたつは人々に直接の影響を与えるが、三つ目の力関係は人々の経済的および社会的環境を再形成することによって間接的に影響を与える。[★142]

ここで私が反対したくなる唯一の点は、「無言の強制」とイデオロギーの区別である。この区別は、明確な法的および概念的な構成という狭義内でイデオロギーを考察した場合にのみ成立する。しかしながら思うに、「ポストイデオロギー」と（間違って）呼ばれている時代において、イデオロギーが完全に機能し続けるメイン・スペースとは、われわれがほぼ意識することなく暗黙の規則や慣習に従って日常的に行う様々な活動の領域、すなわち「無言のイデオロギー」領域そのものなのだ。

改革を叫ぶ人々は変化を恐れている

三つ目に、「現実の」経済問題に焦点を当ててもまだじゅうぶんとは言えない。今後、精神分析の教訓を徹底的に取り入れざるを得ない状況が訪れるはずだ。

フリードリヒ・エンゲルスは、社会主義においては「すべての人々の合理的な要求（ニーズ）は、増え続ける措置によって満たされることが保証される」[★143]と書いているが、ここで次の疑問が浮上する。この「合理的な要求」とは、正確に言うと何を指すのか？　われわれが暮らす社会空間では要求が直接的に表現されることは決してない、というのが精神分析の大きな教訓ではないのか？　すなわち、要求は常時介入する心理メカニズムによって歪んだ「非合理な」欲望に変えられてしまうのではないだろうか。

たとえば、私は必要でないもののために自らの命を危険にさらす覚悟がある。欲するものの入手を禁じられると、それを手に入れたときにより大きな喜びが得られることがある。また、私の欲望は他者の欲望に影響を受けるし、嫉妬のメカニズムにより、自分を満足させるより他者を傷つけることが重要になることもある……こうした歪んだ逆転的論理を経ずして、どうすれば人種差別や性差別を説明することができるだろう？　フレドリック・ジェイムソンは、ある種の共産主義を思い描く場合、嫉妬という基本的な問題が付きまとうと指摘している。ゆえに、ポスト資本主義（それがどんな種類であれ）への道は、経済的な面で非常に複雑なプロセスとなるだけでなく、リビドー経済という新たな問題に直面するだろう。究極の教訓は、「政治経済の批判には、必ずリビドー経済の批判が伴う」ことだ。ここで述べているのは、政治経済の批判をリビドー経済の批判で補足することだけではない。マルクスの『資本論』をじっくり読めば、リビドー経済の批判の一種がすでに示されていたことがわかる。マルクスは資本主義を、拡大再生産に向けた絶え間ない欲動（Trieb《トリーブ》）によって動き続けるシステムだとみなしていたのではなかったか？

したがって、われわれは現在、出現しつつある資本主義批判をシニカルに却下すべきではない。こうした批判によって、批判的思考を持つスペースが生まれたのだから。そして、そのスペースが再び資本主義制度に占拠されるのかどうかは、われわれにかかっている。再び乗っ取られるのを防ぐためには、真実を語るだけでは足りないという事実をまず肝に銘じなければならない。自己満足にふけるのではなく、人々が行動を起こすような方法で真実を語らねばならないのだ。なぜか？　一八〇〇年頃に活躍したドイツの哲学者フリードリヒ・ヤコービはこう述べている。「真実を拒絶することで、人はそれを受け入れる」と。この逆説を証明する例は多々ある。たとえば、啓蒙運動が伝統的な宗教や権威に対して本当の意味で勝利を収めたのは、伝統的な見方をする支持者が啓蒙運動の合理化論争を例に挙げて自身の姿勢（安定した生活を享受するために、社会は揺るぎない権威を必要とする）を正当化しはじめたときだった。しかし、逆の場合も同じ論理があてはまるだろうか？　つまり、真実を受け入れることで、人はそれを拒絶するのか？

これこそがまさに、現在起こっていることである。前述のグラスゴーの会議では、出席者は環境対策やパンデミックと戦うため共同作業が必要であることを受け入れながら、「真実」（世界をまたぐ協力体制が即刻必要とされていることなど）を拒絶した。この仕組みは、階級間の違いに対する主として左派に顕著な姿勢の曖昧さを扱った一九三七年のジョージ・オーウェルの作品で、すでに描写されている。

私たちはみな、階級差別反対を唱えるが、差別の廃止を心の底から望んでいる者はほとんどいない。ここで直面するひとつの重要な事実とは、すべての革命的な見解が、現状は絶対に変化しないというひそかな確信で部分的にしろ支えられていることなのである……労働者の生活を改善するという問題だけなら、まともな人の意見は一致している……しかし残念ながら階級の違いはただ望むだけではなくならない。もっと正確に言えば、なくそうとすることは必要ではあるが、そこに含まれている問題を把握しないかぎり何の効果もないということだ。階級の違いをなくすということは、みずからの一部をなくすことにほかならないという事実を覚悟しなければならない……私自身激しい変身をせまられ、ついには、本来の自分の名残をとどめることはできなくなるだろう。★144

オーウェルによれば、急進派が革新的な変化を呼びかけるのは、実際に変化が起こるのを防ぐなど、正反対の目標を達成するための縁起担ぎなのである。資本主義的、文化的な帝国主義を批判する今日の学術左派は、本当のところ、自分たちの研究分野が実際に崩壊する可能性を心から恐れているのだ。パンデミックや地球温暖化との闘いにも同じことが言える。先ほどのオーウェルの引用を言い換えると、これにぴたりとあてはまる。

私たちはみな、地球温暖化とパンデミック反対を唱えるが、それを終わらせたいと心の底から望んでいる者はほとんどいない。ここで直面するひとつの重要な事実とは、すべての革命的な見解が、現状は絶対に変化しないというひそかな確信で部分的にしろ支えられていることなのである。一般大衆の生活を改善するという問題だけなら、まともな人の意見は一致している。しかし残念ながら地球温暖化とパンデミックはただ望むだけではなくならない。もっと正確に言えば、なくそうとすることは必要ではあるが、そこに含まれている問題を把握しないかぎり何の効果もないということだ。地球温暖化とパンデミックをなくすということは、みずからの一部をなくすことにほかならないという事実を覚悟しなければならない……彼および彼女自身、激しい変身をせまられ、ついには、本来の姿の名残をとどめることはできなくなるだろう。

悲観的な結論と新たな連帯の可能性

われわれには、みずからの一部をなくす覚悟があるだろうか？　答えはもちろん、ノーだ。エイドリアン・ジョンストンの言葉をもう一度引用すると、「私たちは物事が崩壊しつつあるのはわかっている。何を修復すべきかもわかっている。ときには、それをどうやって修復するか、というアイデアまである。それにもかかわらず、すでに被った損傷を修復するためにも、簡単に予測できる損傷を防ぐためにも、いつまでも何もしようとしない」[★145]。

この消極性はどこから来ているのか？　パンデミックを例にとって考えてみよう。メディアはしばしばワクチン反対派があれほど強硬に主張を貫く背景に隠された動機をあれこれ論じるが、私が知るかぎり、最も明白な理由が言及されたことは一度もない。その理由とは、ある意味で彼らはパンデミックが継続することを望んでおり、反パンデミック的な対策を拒否すればそれが長引くと知っていることだ。もしこれが事実なら、次の疑問が生じる。ワクチン反対派にパンデミックの継続を望ませるのは、何（どの特性）なのか？

死へ向かおうとする欲動や苦しんで死にたいという願望のような疑似フロイト的概念は、このさい除外するとしよう。ワクチン反対派が新型コロナウイルス感染症対策に逆らう理由が、彼らが手にできる唯一の自由と尊厳の枠組みである西欧自由主義的な生活様式を犠牲にする覚悟ができていないためであることは間違いないが、それを認めるだけではじゅうぶんとは言えない。さらにもう一歩踏みこむと、ふだんの楽しみをパンデミックのせいで断念せざるを得ないときに生じる、ひねくれた喜びもそれに加えるべきだろう。意気消沈し、無気力に送る消極的な生活、明白な人生の目標を持たずにだらだらと日々を過ごすことで感じるひそかな満足を、侮ってはならない。

しかしながら、必要とされるのは個人的な変化だけでなく、グローバルな社会的変化だ。新型コロナウイルスが大流行しはじめた頃、私はこの疾病が資本主義にとって致命傷になると書いた。そして、クエンティン・タランティーノの『キル・ビルVol．2』のクライマックスで、ベアトリクスが邪悪なビルの動きを封じ、指先による五か所の攻撃と標的の体の五つのツボを組み合わせた「五点掌爆心拳」で攻撃するシーンに言及した。攻撃された相手は五歩歩いたあと心臓が破裂し、地面に崩れ落ちる。何を言いたいかというと、新型コロナウイルスの流行は、グローバル資本主義制度に対するある種の「五点掌爆心拳」攻撃であり、これまで暮らしてきたやり方がもはや通用しないこと、急激な変化が必要であることを示すシグナルだったのだ。

当時私は、資本主義は危機を抑えこんだばかりか、その危機を利用してますます力を強めていると、多くの人に笑われた。だが、いまだに自分の指摘は正しかったと思っている。この数年間、グローバル資本主義は非常に急激な変化を遂げ、一部の者（ヤニス・バルファキスやジョディ・ディーンなど）は新たに出現しつつある秩序を、資本主義ではなく「企業中心の新封建主義」と呼んでいる。パンデミックによってこの企業中心の新たな秩序がさらに力をつけ、ビル・ゲイツやマーク・ザッカーバーグのような新たな封建領主が、われわれの通信や意思交換の共有スペースへの支配をますます強めている。

こうした状況から導きだされるのは、われわれが目覚めるためにはさらに大きな衝撃と危機が必要だという悲観的な結論だ。新自由主義的な資本主義はもはや死にかけ、今後は新自由主義とその先にあるものの闘いではなく、その先にあるものの二形態の闘いとなる。すなわち、脅威からわれわれを守り、夢を見続けていられる（マーク・ザッカーバーグの「メタバース」のような）保護バブルを約束する企業中心の新封建主義と、われわれに新たな形の連帯を築くことを余儀なくさせる、不都合な事実への覚醒との闘争である。現時点で、この新たな連帯を体現しているのが、ひとつも有罪が確定していないのにロンドンの刑務所で朽ちつつあるジュリアン・アサンジなのだ。

第十四章　アサンジ：そうとも、われわれにはできる！

なぜアサンジは既存体制にとっておぞましいのか

二〇二一年十二月、英国高等法院は、ジュリアン・アサンジのアメリカへの引き渡しを認めた。メンタルヘルスへの悪影響が大きすぎることを理由に引き渡しの阻止を命じた前回の判決に対する、アメリカ側の上訴が認められたのである。果てしなく続くアサンジ・サーガにおけるこの最新の大逆転は、数年前、在ロンドンのエクアドル大使館が不潔なアサンジを追いだしたがっているという根も葉もない卑劣な噂が広まった頃から始まった、綿密に計画された長きにわたる誹謗中傷キャンペーンの最終段階にすぎない。

アサンジに対する攻撃の第一段階は、元友人と協力者たちによる主張から始まった。ウィキリークスは立派な意図とともに始まったものの、アサンジの政治的偏見(執拗なヒラリー・クリントン攻撃、疑惑に満ちたロシアとの繋がり……)によって行き詰まった、という主張である。その後、アサンジは変態なうえに傲慢で、権力と支配に取り憑かれているという、より直接的かつ個人的な誹謗中傷がなされ、[★146]体臭と服の染みという、[★147]非常に露骨な批判が続いた。だが、ここで唯一臭うのは、強姦者の支援はしないという理由でアサンジとの連帯を拒否した一部のメインストリーム・フェミニストの反応である[★148](アサンジはスウェーデンに滞在中、強姦罪で訴えられたが、証拠不十分で不起訴になっている)。公式に起訴すらされなかった、控えめに言っても怪しい言いがかりが、国家によるテロ行為の犠牲になるという事実よりも重視されたのだ。

アサンジは偏執症だと非難されるが、住まいを上下階から盗聴され、四六時中、各国のシークレット・サービスの監視にさらされていれば、偏執症にならないほうがおかしい。誇大妄想癖があるとも言われるが、CIAの（現在は元）長官に逮捕を優先すると言われたら、少なくとも一部の人々にとって自分が「大きな」脅威であると確信を持つのは当然だ。スパイ組織の長官のように振る舞っているという非難も的外れだろう。ウィキリークスは実際にスパイ組織で、社会の裏側で起こっていることを人々に知らせる役割を担っているのだから。ではなぜアサンジは、既存体制にとってこれほどおぞましい存在なのか？　既存体制の愚かしいほど過剰な復讐心は何に起因しているのか？　アサンジや彼の仲間、内部告発者たちは、ここまで恐ろしい仕打ちに値することをしたのか？　ある意味では、政府当局の見方は理解できる。アサンジやスノーデンのような人々はしばしば裏切り者だと非難されるが、（政府から見ると）それよりもずっとたちが悪い。アレンカ・ジュパンチッチが主張したように、問題は、彼らが通常の「愛国心ゲーム」をせずに、入手した情報をほかの諜報機関に売っていることにある。

ここで行われているのは、まったく別のことである。アサンジが行っているのは、「西側」のあらゆる（非）政治における唯一の基盤として長期にわたって機能していた論理そのもの、現況そのものに疑問を投げかける意思表示なのである。それは実際、利益を顧みず、自身の利害関係も伴わない、すべてを危険にさらす行為だ。いま起こっていることがとにかく間違っているという結論に基づいて、彼らはその危険を冒す。スノーデンは代わりの選択肢を提案したわけではない。スノーデン、いやつまり、彼の意思表示としての行動――彼以前で言うと、たとえばブラッドリー・マニングの行為――の論理こそが、代わりの選択肢なのである。*149

ウィキリークスが起こしたこの革命は、「人民のためのスパイ」というアサンジの皮肉な自称に見事に包括されている。人々のためにスパイをすることは、スパイ行為（敵に秘密を売る二重エージェント的な役割）を直接否定するのではなく、秘密を公にすることが目的であるから、スパイ行為の普遍原理そのものである秘密の原理が損なわれる。しかし、アサンジがこれほどの大混乱を引き起こしたのにはもっと深い理由がある。アサンジは、自由を脅かす最も危険な脅威は、公の権威主義勢力からもたらされるのではなく、われわれが自由を束縛されている状態を自由と認識したときに生じることを明らかにしたのだ。ここで、具体的な例を挙げよう。

メタバースも新しい封建制のなかにある

たとえば、われわれがインターネットをブラウズし、自分の調べたい話題を検索することは、何よりも「自由」なはずだ。しかしながら、われわれの行動（そして消極性）の大半は、いまではクラウド・ストレージ等に記録され、こうしたシステムがユーザーの行動だけでなく感情状態さえも追跡し、絶えず評価している。最大限の自由を味わっている（ありとあらゆるサイトにアクセスできる状態でネットサーフィンをする）とき、われわれは完全に「外部化」され、非常に微妙なやり方で操られているのだ。デジタル・ネットワークは、「個人的なことは政治的なこと」という古いスローガンに新たな意味を与えたのである。

管理される危険にさらされているのは、われわれの私生活だけではない。今日、移動手段、健康状態、電気から水まで、すべてがある種のデジタル・ネットワークによって管理・規制されている。要するに、われわれの社会のなかでインターネットは最も重要な共通スペースであり、その支配を手にする闘いが今日の「闘争」である。敵は、私有化および国有化を組み合わせた共有スペース、企業（グーグル、フェイスブック）、アメリカ国家安全保障局（NSA）なのだ。

ビル・ゲイツを例にとってみよう。彼は、いかにして世界で最も裕福な人物のひとりになったのか？　彼の富は、効率の良い生産コストや狡猾《こうかつ》な価格設定とはまったく関係がない（マイクロソフトは、知的職業人である雇用者たちに比較的、高給を支払っているとさえ言える）。別の言葉で言い換えるならば、マイクロソフトは競合企業よりケチでもなければ、ましでもない。それではなぜ、何百万もの人々がいまだにマイクロソフトの製品を購入しているのか？　マイクロソフトが世界的な標準オペレーティングシステムとしてこの分野を（ほぼ）独占しているからである。ジェフ・ベゾスのアマゾン、アップルやフェイスブックなども同様である。こうしたケースすべてで、共有スペースそのもの――この場合は、プラットフォーム（社交的なメッセージ交換や対話用のスペース）――が私有化されることによって、われわれユーザーは封建領主である所有者に地代を払う農奴のような立場に立たされている。

今日、富と権力は目が眩《くら》むほどの影響力を持つ一部の人々の手にますます集中している。二〇二一年、フェイスブックの内部告発者フランシス・ホーゲンは英国議会で、テック企業の経営を抑制し、社会への害を減らすために早急な外部規制の導入を求め、マーク・ザッカーバーグがフェイスブックの会長という立場により、「三十億人に対して、一方的な支配力を持っている」と証言した。★150 現代における最大の達成ともいえる公共スペースは、こうして失われつつある。ホーゲンの公表から数日後、ザッカーバーグは企業名を「フェイスブック」から「メタ」に変更し、真の新封建的マニフェストとも呼べるスピーチのなかで、「メタバース」に抱くビジョンを語った。CNNはこう報じている。

ザッカーバーグは、メタバースによって最終的には現実以外のすべてを包括することを目指している——現実の一部をところどころ繋ぎ合わせ、われわれが考える現実の世界を完全に組みこもうというのだ。フェイスブックによって計画された仮想および拡張未来のなかでは、ザッカーバーグのシミュレーションが現実と同じような存在に高められるのではなく、人々の行動および交流が極端に標準化かつ機械化され、重要ではなくなる。人間が顔の表情を作る代わりに、アバターが例の親指をぐっと突きたてるポーズを取る。空間を共有するのではなく、デジタル文書上で共同作業ができるようになる。ほかの人間と実際に空間をシェアする経験が、拡張現実のポケモンのように、部屋に投影された人の姿を見ることに格下げされるのだ。[★151]

メタバースは、われわれの壊れた有害な現実を超えた（メタ）バーチャル・スペース、つまりアバターを介してスムーズに意思疎通できる、拡張現実の要素（デジタル・イメージに重ね合わされた現実）を持つバーチャル・スペースとして機能するよう作られている。すなわち、ほかならぬメタフィジックス（形而上学）の実現化を目標にしているのだ。現実を取りこむこのメタフィジカル・スペースは、デジタル・ガイドラインによってわれわれの知覚や介入が操られている部分にのみアクセスを許される空間だ。

しかし、ここでひとつお馴染みの問題が生じる。結局のところ、このメタフィジカル・スペースも、われわれのやり取りを監視し、規制する封建領主によって個人的に所有された共有スペースになってしまうことだ。

アサンジの暴露の真の標的

しかし、それだけではない。内部告発者によって明かされた自由への脅威には、体系的な問題が深く根を張っている。アサンジが擁護されるべき理由は、彼の行動がアメリカのシークレット・サービスに恥をかかせたからだけではない。彼が、（中国からロシア、ドイツからイスラエルまで）アメリカ以外の大国（とそれほど大国ではない国）も同じことを（テクノロジー的にできる範囲内で）していると暴露したからだ。つまり、アサンジの行為は、われわれ全員が監視され、支配されているのではないかという推測に、事実に基づいた根拠を提供したのである。この教訓は世界共通で、アメリカのはるか先まで及んでいる。われわれがアサンジ（あるいはスノーデンやマニング）から学んだのは、すでに事実ではないかと疑っていたことばかりだが、一般的な知識として知るのと、具体的なデータを得るのには大きな違いがある。交際相手があちこちで浮気していることを知るようなものだ。漠然とした知識であれば受け入れられても、実際の行動の詳細が耳に入れば間違いなく傷つく……。

さて、この事件の核心に触れるとしよう。アサンジの暴露の真の標的はわれわれ――国家機構と大企業がこっそり行っていることに気づいていながら知らぬふりをしている、平均的かつ偽善的な自由主義派なのだ。われわれは、少なくともときどきは公に抗議するし、内心では誰かがひそかに手を汚す必要があるとわかっている。アサンジはそんなわれわれの逃げ道を塞ぎ、われわれが好んで無視している知識を公の場で事実とみなすよう強制する。その意味では、アサンジはわれわれのために、われわれの現状に甘んじる姿勢と闘っていることになる。現状に甘んじるその姿勢こそが、アサンジを支持する大掛かりな運動がいまだ起こっていない理由、彼を擁護する覚悟のある「有名人」(映画スターや作家、ジャーナリストなど)がほとんどいない理由、そして権力者たちがわれわれをいまだに無視できている理由なのである。

結論　手遅れの場合、どう始めればいいのか？

さて三度目に、そして最後にこう問いたい。何をすべきなのか？

われわれは常に、手遅れになってから問題の解決に取りかかる。その理由は実に明快だ。唯一の代替案は、スタート地点、つまり過去に戻って、その問題が浮上するのを防ぐことだからである。そうとも、われわれは人種差別と闘わねばならない。だが、人種差別が生じたあとでなければ闘うことはできないから、人種差別との闘いは常に手遅れだということになる。この問題は、不正を相対化する安易な歴史主義とはまったく関係がない。かつて「正常」だったこと（奴隷制、人種差別、性的抑圧）が現代において受け入れられなくなっているのは、われわれの文化や感受性が変わったためではないからだ。われわれは、まさに歴史相対主義者が禁じていることを実行すべきである。すなわち、現在の基準に沿って過去を測るべきだ。ひとたび奴隷制の間違いに気づけば、それが常に間違いだったことがわかり、違った目線で歴史を読み解くことができるようになるため、たとえば奴隷の蜂起が絶えず起こっていたことなどの発見に繋がる。

では、手遅れになったいま、われわれは何をすべきなのか？　行動を起こす絶好の機会は絶えず訪れている。目の前にある状況において最善を尽くす機会だけでなく、そうした状況を作りだしている要素の組み合わせ自体を変える機会は常にあるのだ。私がこの文章を書いている日は、ロシアがウクライナ侵攻を開始したちょうど一年後にあたる。今日まずやるべきことは、同盟国を含めたすべての人々、おそらく多くの同国人さえも驚かせたウクライナの抵抗を認め、称えることだ。

それと関連して、ウクライナではもうひとつ、前向きな変化が見受けられる。カテリナ・セムチャク（注：ウクライナ人ジャーナリスト）はこう報じている。


故郷では正義を求める人々の願いが弱まるどころか、さらに強まっている。市民の大半が、ロシアによる大量虐殺の脅威と戦うために自らの命を危険にさらしているのだから、当然の結果だろう。ウクライナの未来のために戦う理由は、それぞれ違う。ウクライナがどんな国になりつつあるのか、戦争のあと物事がどうあるべきかに、私たちはこれまでにないほど敏感になっている。★152